'사고력수학의 시작'

팡세

pensées

B1

2학년 | 패턴

사고력 수학을 묻고 팡세가 답해요

Q: 사고력 수학은 '왜' 해야 하나요?

사고력 수학은 아이에게 낯선 문제를 접하게 함으로써 여러 가지 문제 해결 방법을 아이 스스로 생각하게 하는 것에 목적이 있어요. 정석적인 한 가지 풀이법만 알고 있는 아이는 결국 중등 이후에 나오는 응용 문제에 대한 해결력이 현저히 떨어지게 되지요. 반면 사고력 수학을 통해 여러 가지 풀이법을 스스로 생각하고 알아낸 경험이 있는 아이들은 한 번 막히는 문제도 다른 방법으로 뚫어낼 힘이 생기게 된답니다. 이러한 힘을 기르는 데 있어 사고력 수학이 가장 크게 도움이 된다고 확신해요.

Q: 사고력 수학이 '필수'인가요?

No but Yes! 초등 수학에서 가장 필수적인 것은 교과와 연산이지요. 또 중등에서의 서술형 평가를 대비하기 위한 서술형 학습과 어려운 중등 도형을 헤쳐나가기 위한 도형 학습 정도를 추가하면 돼요. 사고력 수학은 그 다음으로 중요하다고 할 수 있어요. 다만 만약 중등 이후에도 상위권을 꾸준하게 유지하겠다고 하시면 사고력 수학은 필수랍니다.

Q: 사고력 수학, 꼭 '어려운' 문제를 풀어야 하나요?

No! 기존의 사고력 수학 교재가 어려운 이유는 영재교육원 입시 때문이었어요. 상위권 중에서도 더 잘하는 아이, 즉 영재를 골라내는 시험에 사고력수학 문제가 단골로 출제되었고, 이에 대비하기 위해 만들어진 것이 초창기 사고력 수학 교재이지요. 하지만 모든 아이들이 영재일 수는 없고, 또 그래야할 필요도 없어요. 사고력 수학으로 영재를 확실하게 선별할 수 있는 것도 아니에요. 따라서 사고력 수학의 원래 목적, 즉 새로운 문제를 풀 수 있는 능력만 기를 수 있다면 난이도는 중요하지 않답니다. 오히려 어려운 문제는 수학에 대한 아이들의 자신감을 떨어뜨리는 부작용이 있다는 점! 반드시 기억해야 해요.

Q: 사고력 수학 학습에서 어떤 점에 '유의'해야 할까요?

가장 중요한 것은 아이가 스스로 방법을 생각할 수 있는 시간을 충분히 주는 거예요. 엄마나 선생님이 옆에서 방법을 바로 알려주거나 해답지를 줘버리면 사고력 수학의 효과는 없는 거나 마찬가지랍니다. 설령 문제를 못 풀더라도 아이가 스스로 고민하는 습관을 가지고, 방법을 찾아가는 시간을 늘리는 것이 아이의 문제해결력과 집중력을 기르는 방법이라고 꼭 새기며 아이가 스스로 발전할 수 있는 가능성을 믿어 보세요.

또 하나 더 강조하고 싶은 것은 문제의 답을 모두 맞힐 필요가 없다는 거예요. 사고력 수학 문제를 백점 맞는다고 해서 바로 성적이 쑥쑥 오르는 것이 아니에요. 사고력 수학은 훗날 아이가 더 어려운 문제를 풀기 위한 수학적 힘을 기르는 과정으로 봐야 하는 거지요. 그러니 아이가 하나 맞히고 틀리는 것에 일희일비하지 말고 우리 아이가 문제를 어떤 방법으로 풀려고 했고, 왜 어려워 하는지 표현하게 하는 것이 훨씬 중요하답니다. 사고력 수학은 문제의 결과인 답보다 답을 찾아가는 과정 그 자체에 의미가 있다는 사실을 꼭! 꼭! 기억해 주세요.

팡세의 구성과 특징

1. 패턴, 퍼즐과 전략, 유추, 카운팅 - 새로운 시대에 맞는 새로운 사고력 영역!
2. 아이가 혼자서도 술술 풀어나가며 자신감을 기르기에 딱 좋은 난이도!
3. 하루 10분 1장만 풀어도 초등에서 꼭 키워야 하는 사고력을 쑥쑥!

일일 소주제 학습

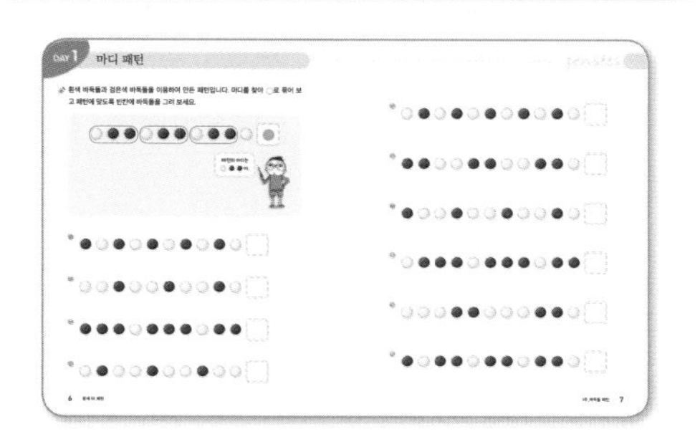

하루에 10분씩
매일 1장씩만
꾸준히 풀면 돼.

주차별 확인학습

5일 동안 배운 것 중
가장 중요한 문제를
복습하는 거야!

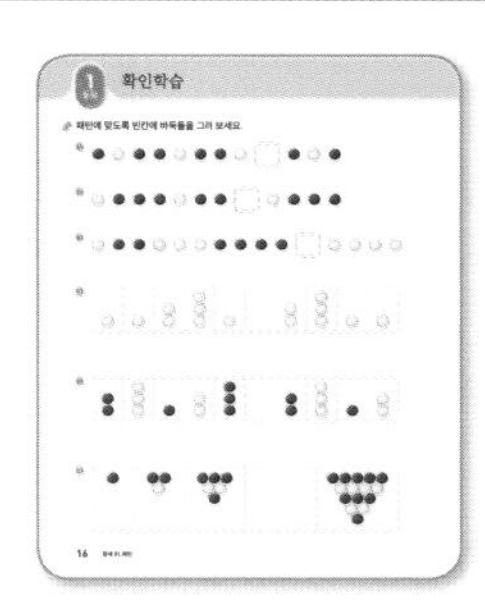

월간 마무리 평가

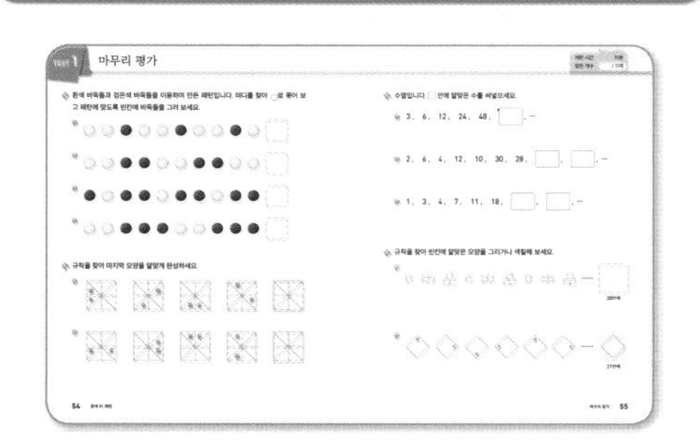

4주 동안 공부한
내용 중 어디가 부족한지
알 수 있다. 삐리삐리~

이 책의 차례

B1

1 바둑돌 패턴 5

2 이중 패턴 17

3 수열 29

4 패턴 완성 41

마무리 평가 53

pensées

1
주차

바둑돌 패턴

DAY 1 마디 패턴 6

DAY 2 개수 패턴 8

DAY 3 이중 패턴 10

DAY 4 모양 패턴 12

DAY 5 바둑돌 빈칸 14

확인학습 16

마디 패턴

✎ 흰색 바둑돌과 검은색 바둑돌을 이용하여 만든 패턴입니다. 마디를 찾아 ◯로 묶어 보고 패턴에 맞도록 빈칸에 바둑돌을 그려 보세요.

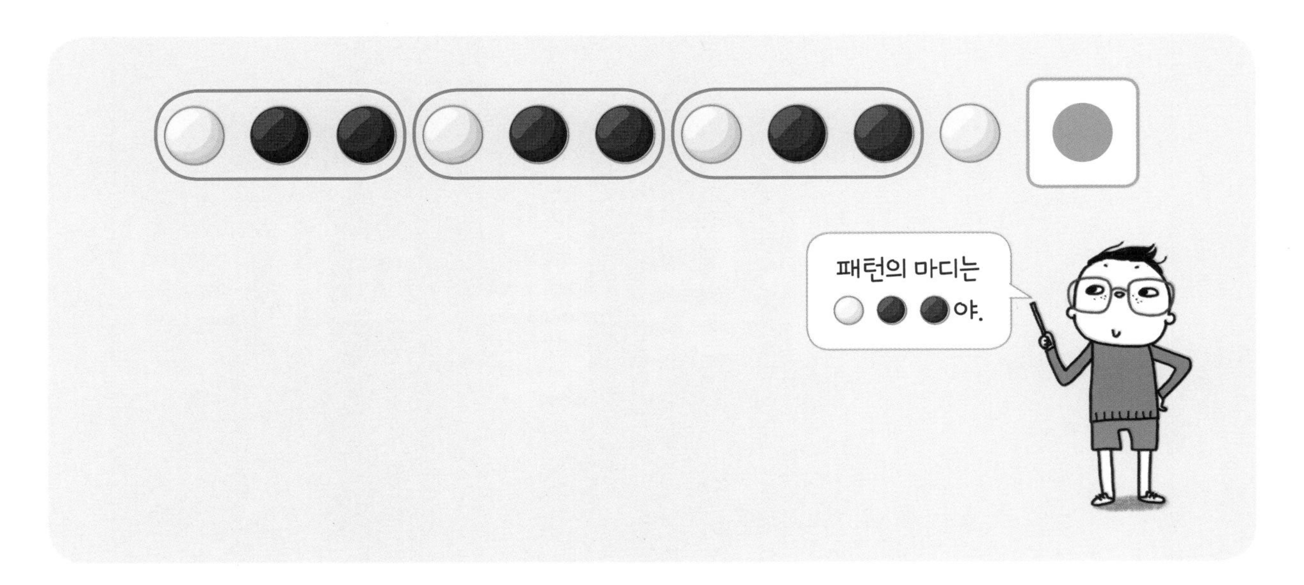

❶

❷
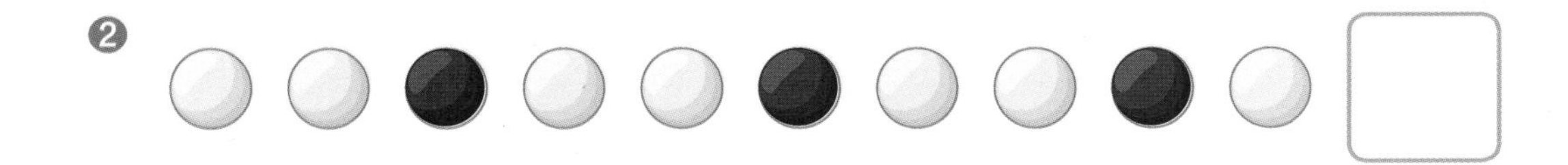

❸

❹
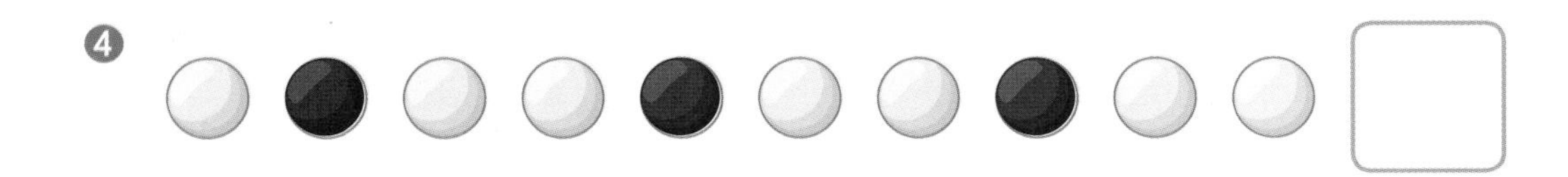

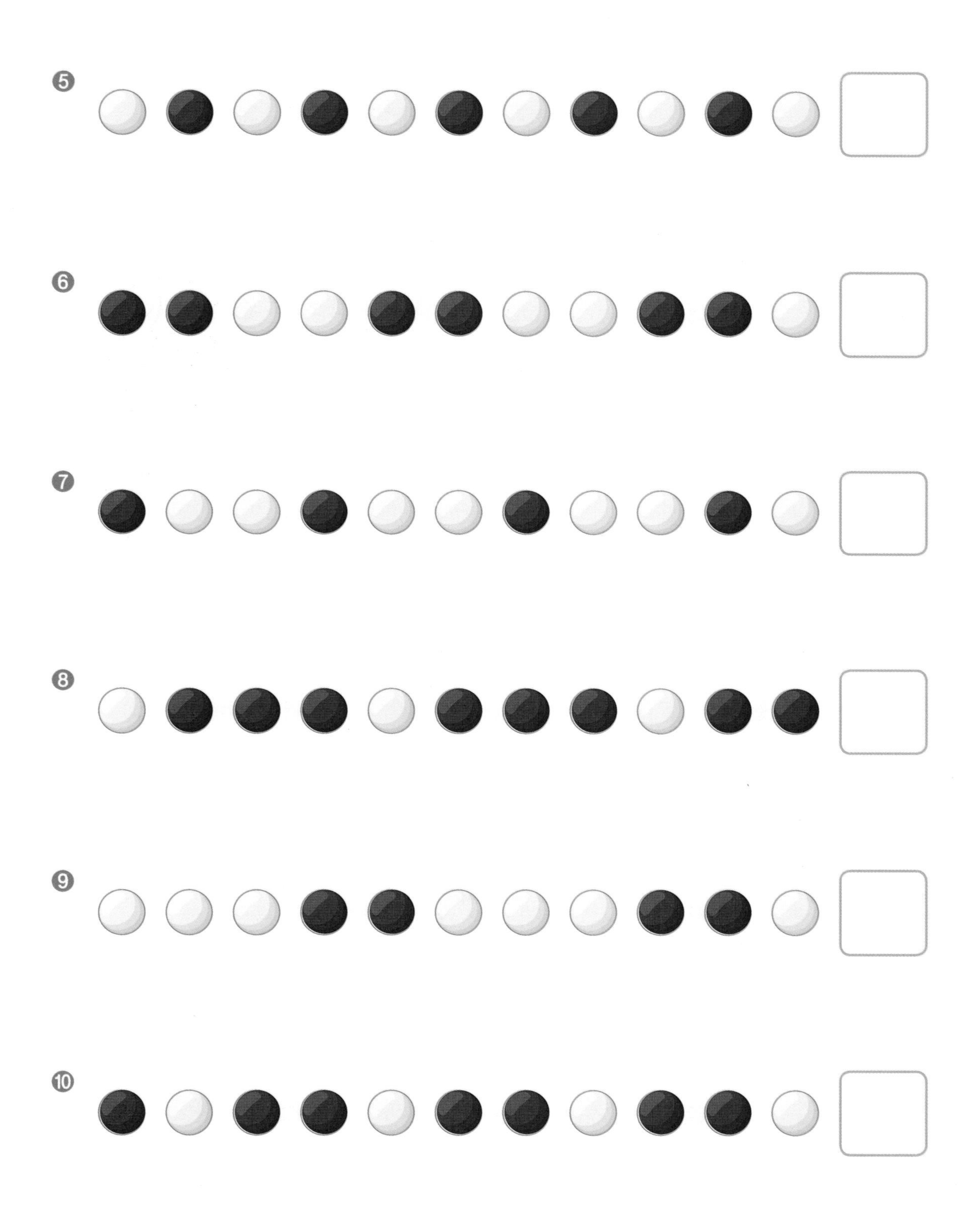
❺
❻
❼
❽
❾
❿

개수 패턴

패턴에 맞도록 빈칸에 바둑돌을 그려 보세요.

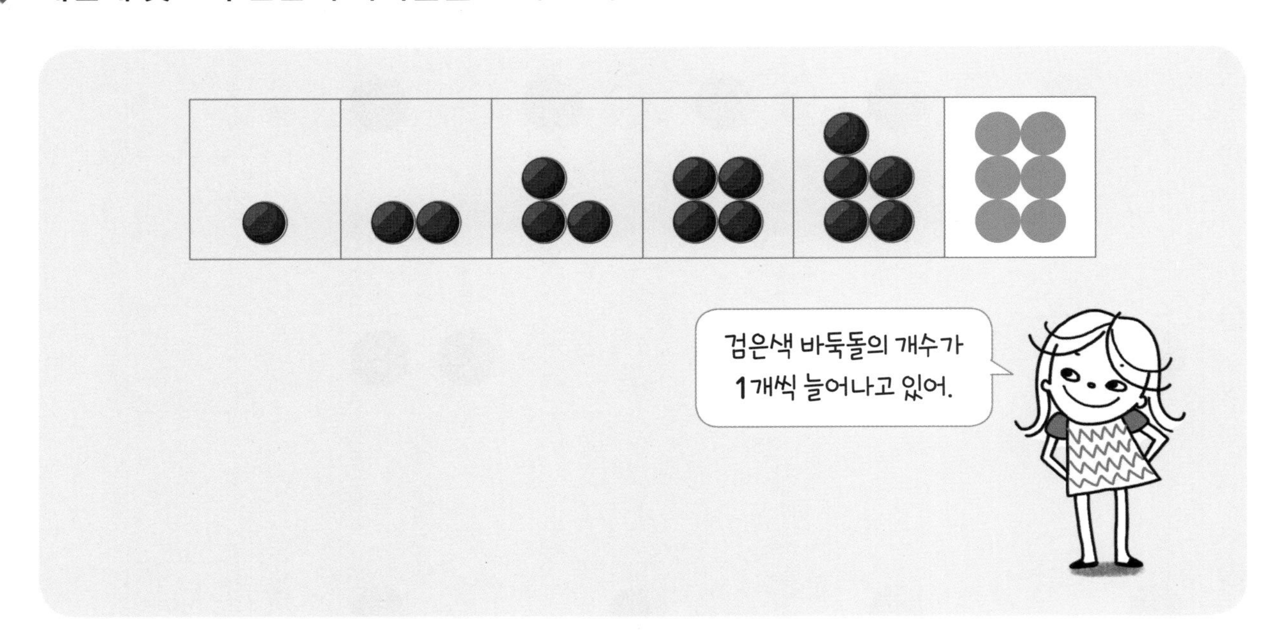

❶

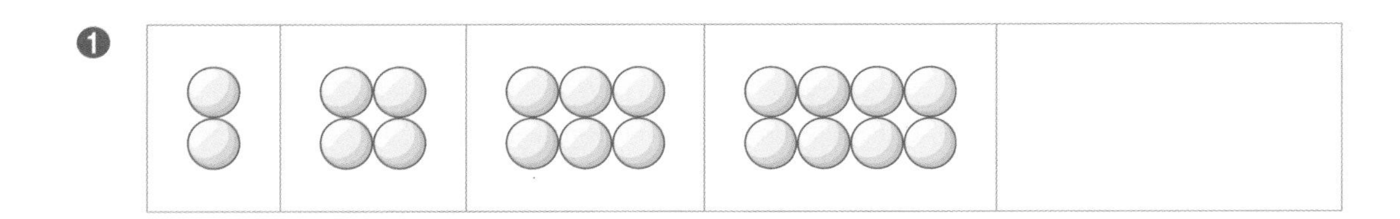

❷

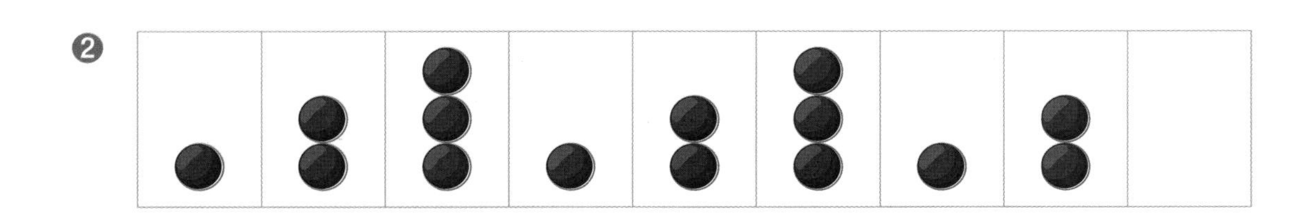

❸

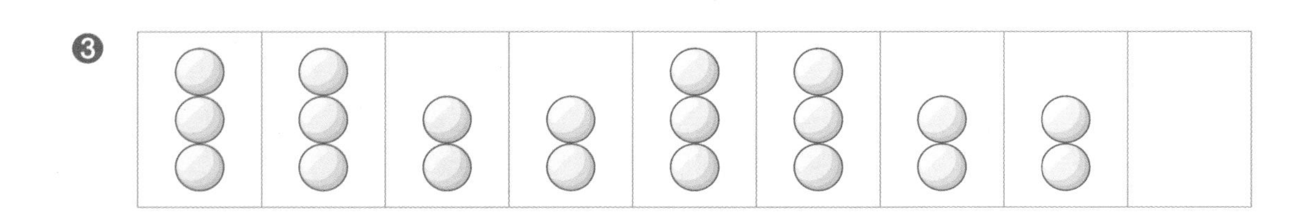

❹

❺

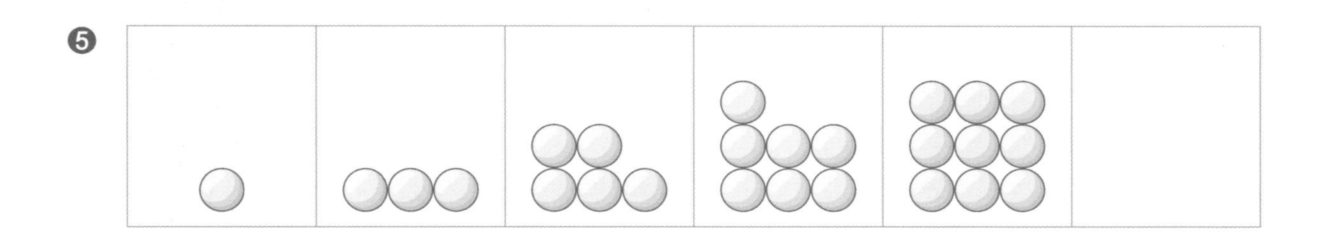

❻

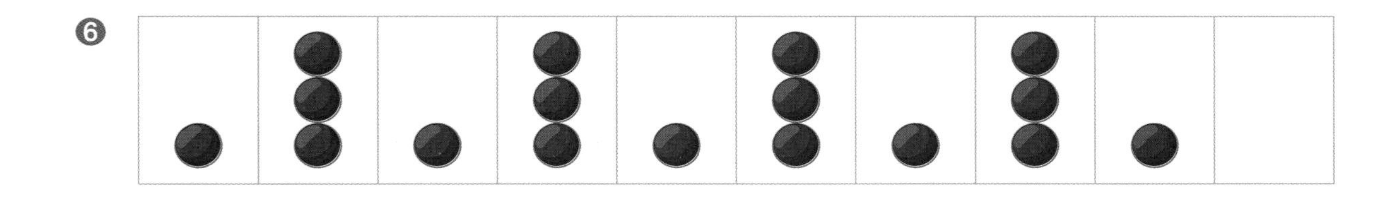

❼

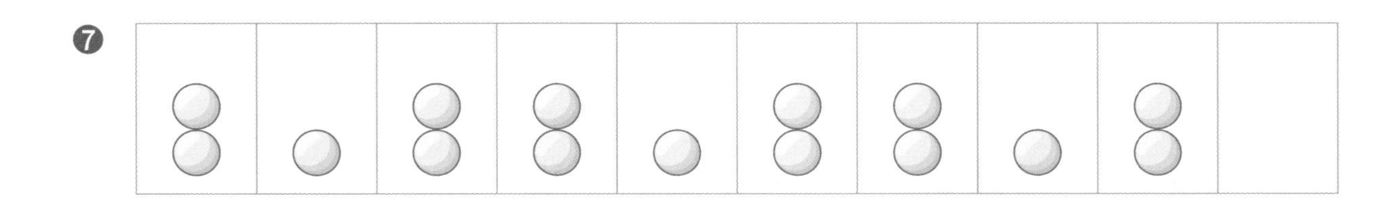

❽

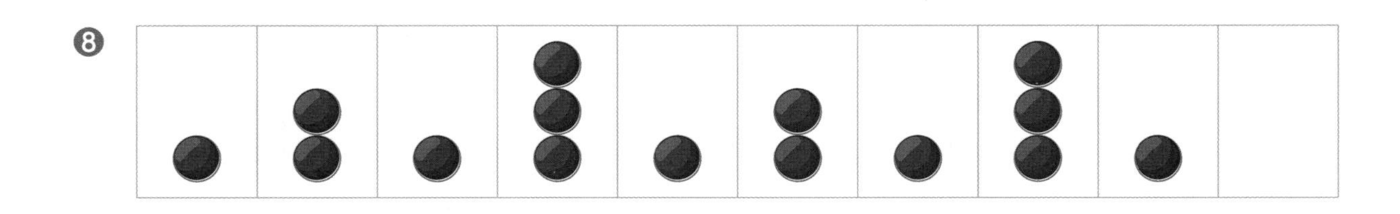

DAY 3 이중 패턴

패턴에 맞도록 빈칸에 바둑돌을 그려 보세요.

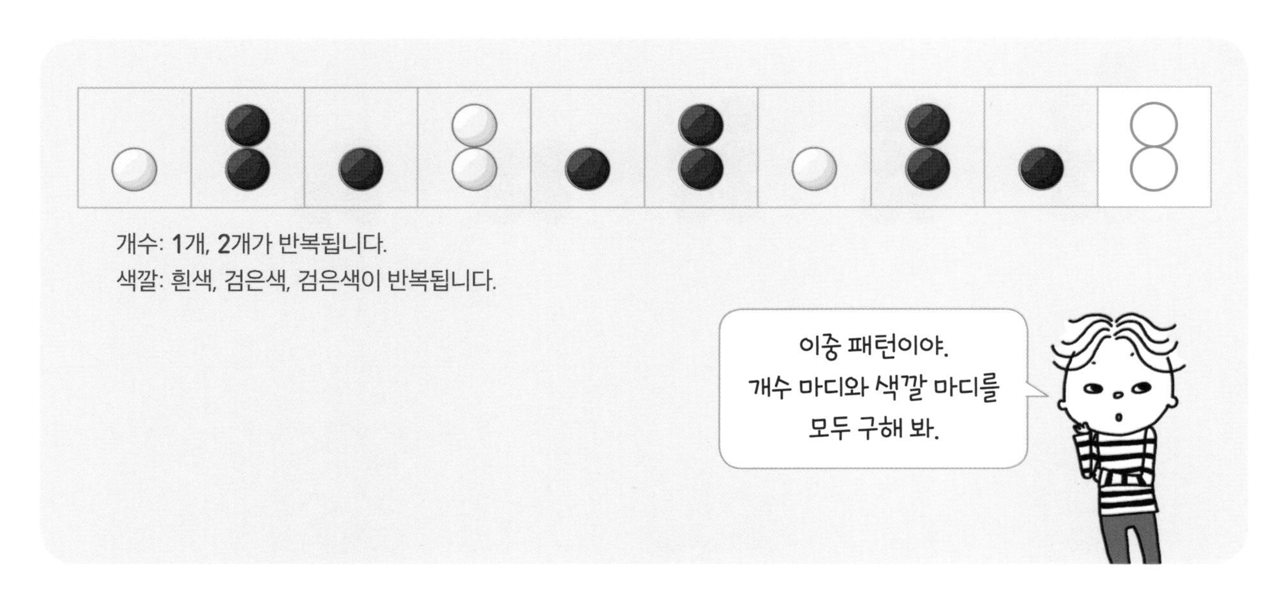

개수: 1개, 2개가 반복됩니다.
색깔: 흰색, 검은색, 검은색이 반복됩니다.
이중 패턴이야.
개수 마디와 색깔 마디를
모두 구해 봐.

❶

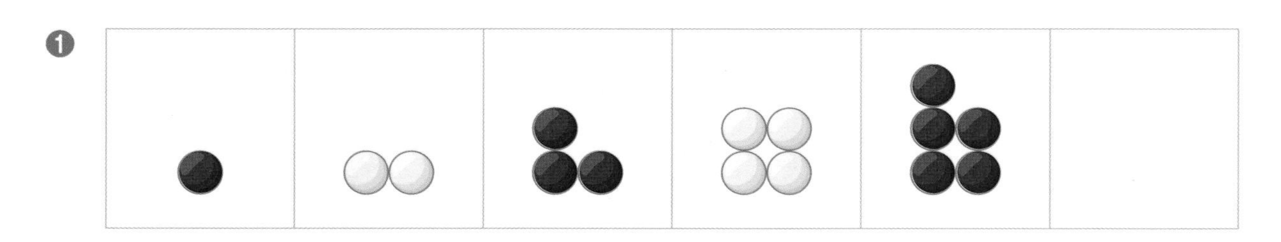

❷

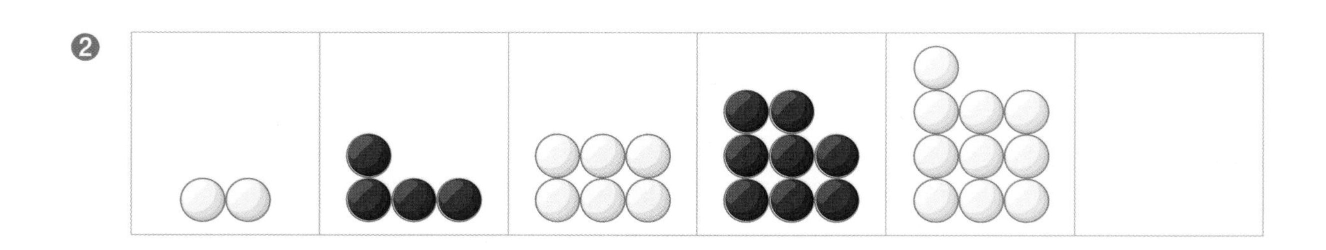

❸

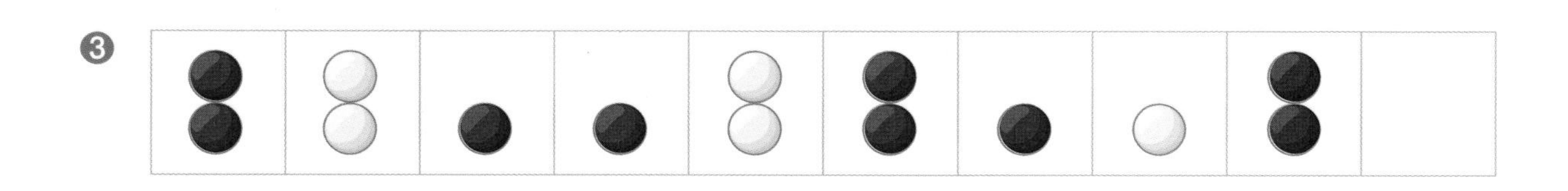

❹

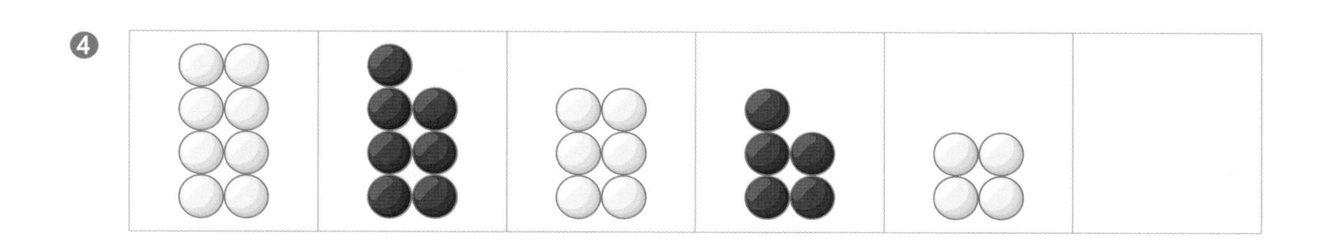

❺

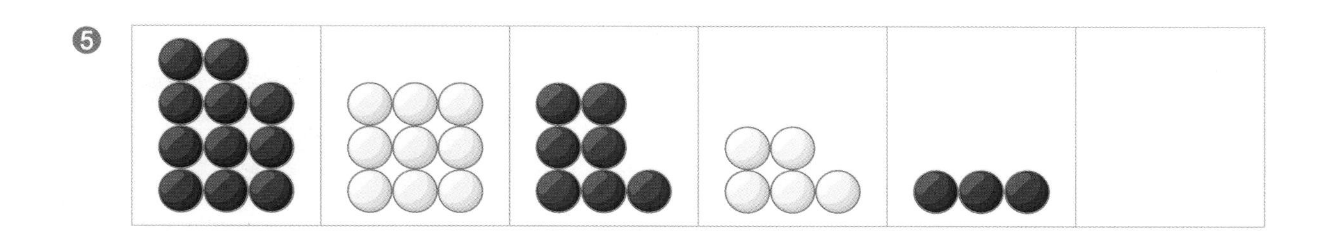

❻

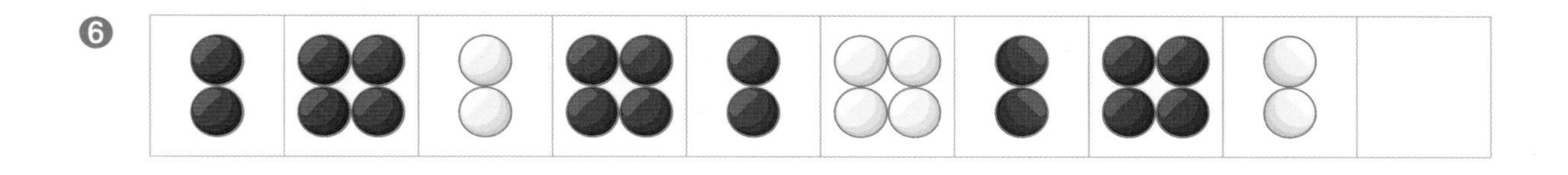

❼

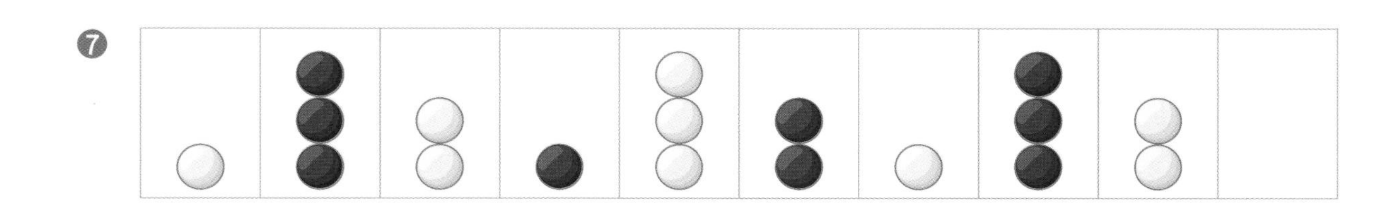

❽

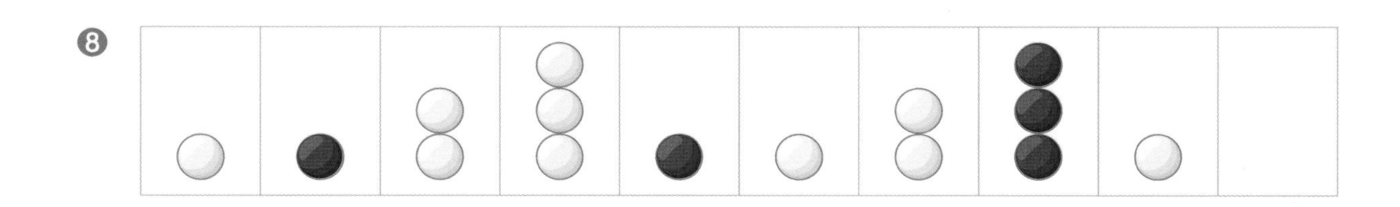

DAY 4 모양 패턴

✎ 패턴에 맞도록 빈칸에 알맞은 모양을 그려 보세요.

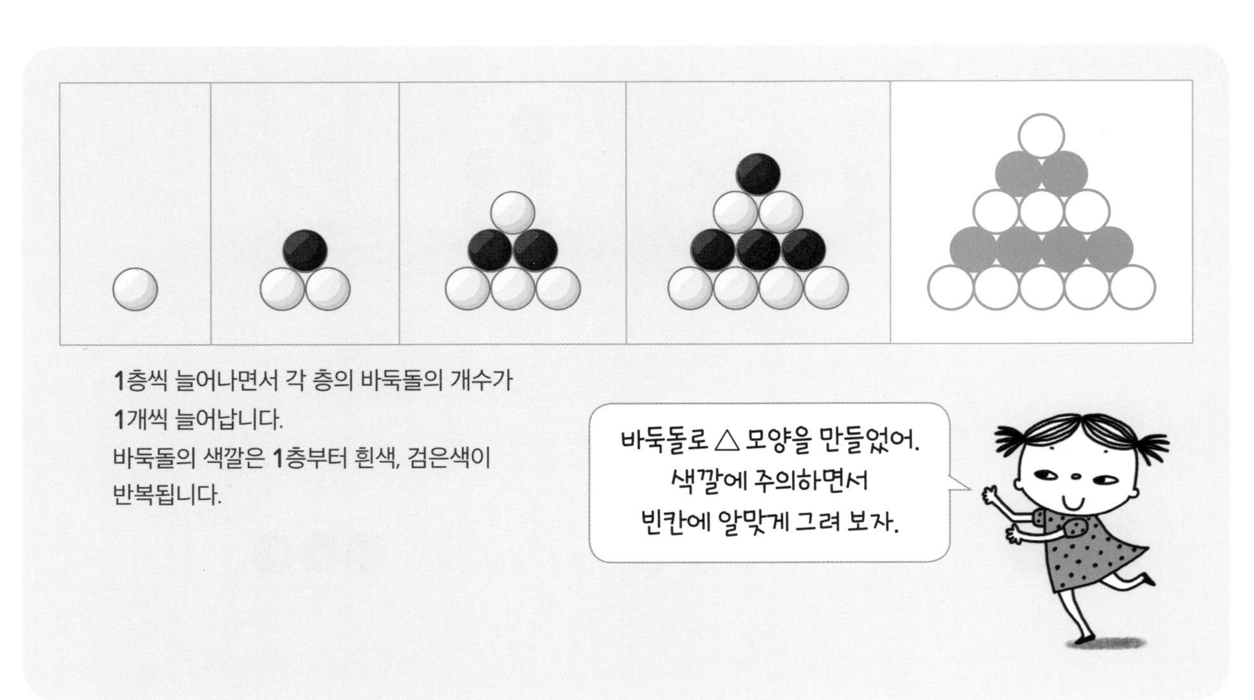

1층씩 늘어나면서 각 층의 바둑돌의 개수가
1개씩 늘어납니다.
바둑돌의 색깔은 1층부터 흰색, 검은색이
반복됩니다.
바둑돌로 △ 모양을 만들었어.
색깔에 주의하면서
빈칸에 알맞게 그려 보자.

❶

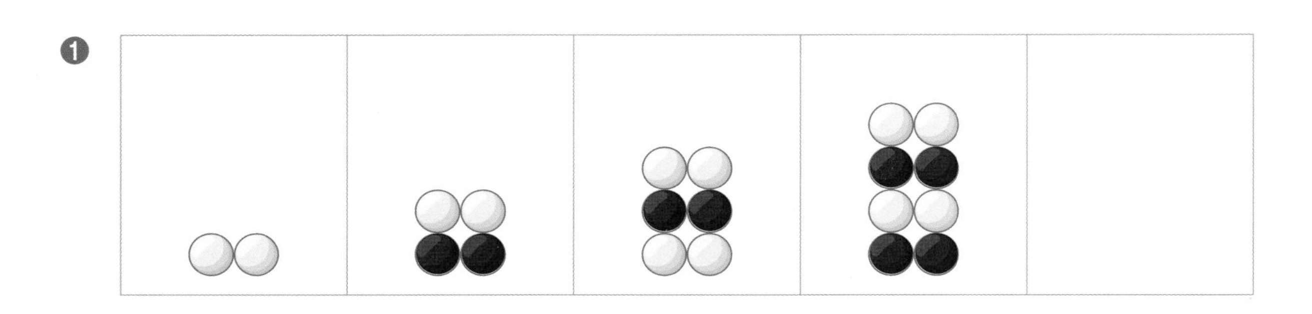

❷

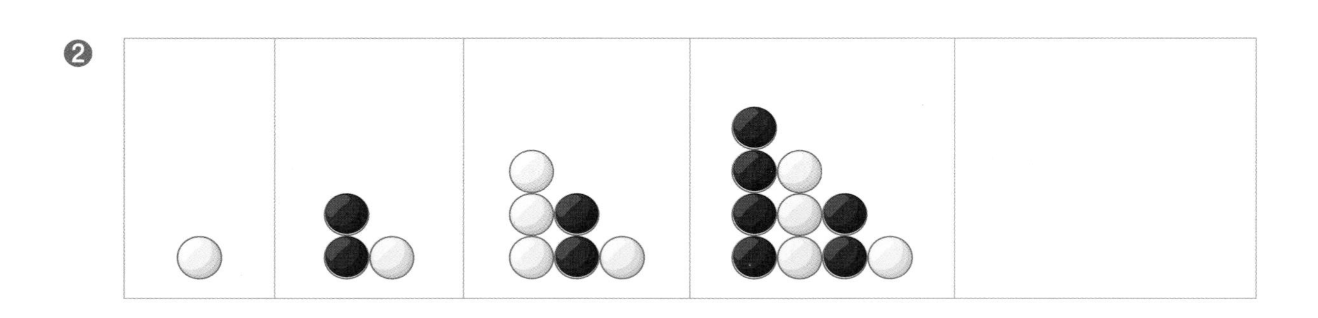

❸
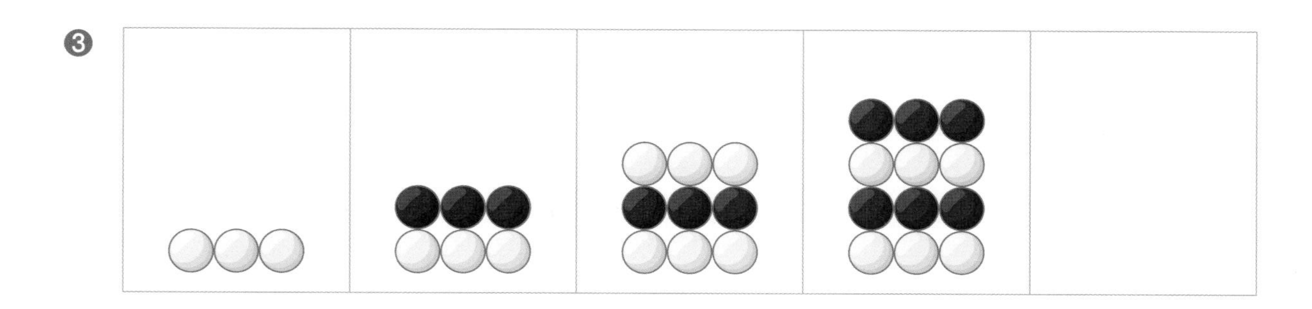

❹
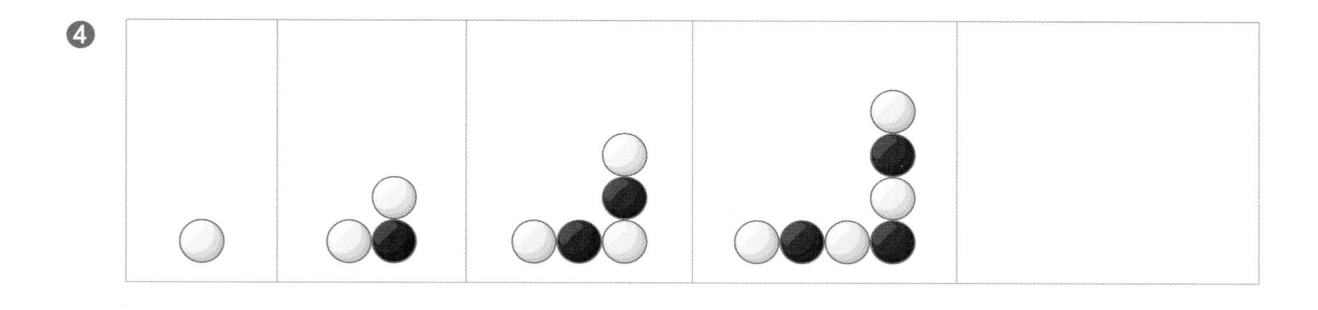

❺
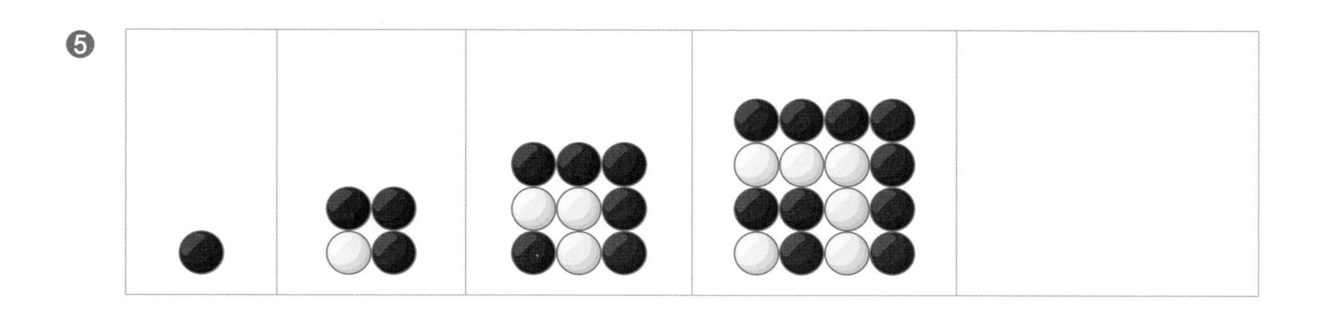

❻
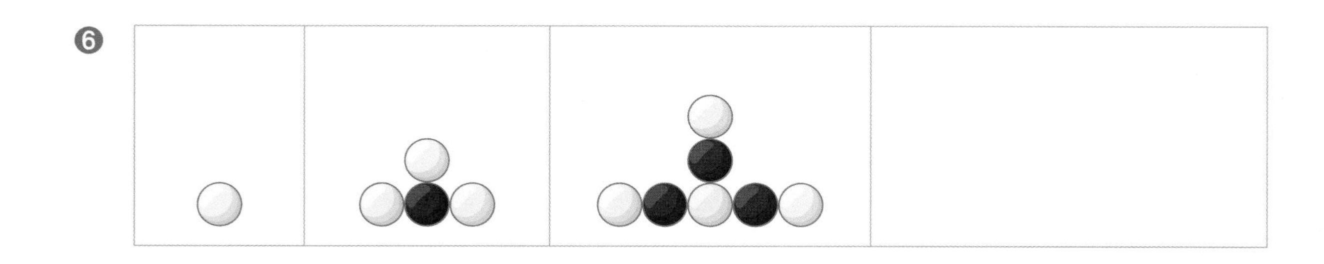

바둑돌 빈칸

패턴에 맞도록 빈칸에 바둑돌을 그려 보세요.

❶
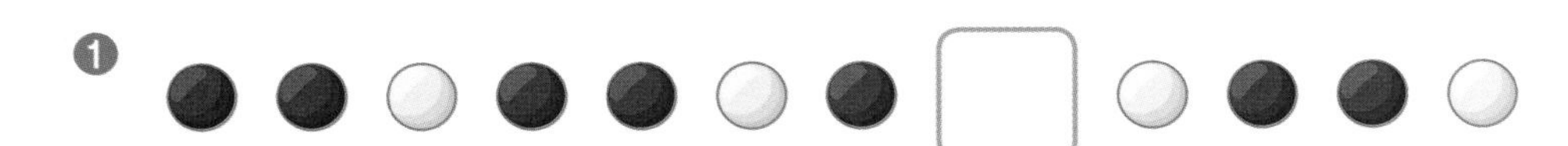

❷

❸

❹
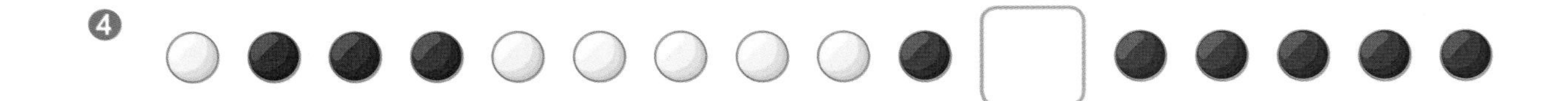

❺
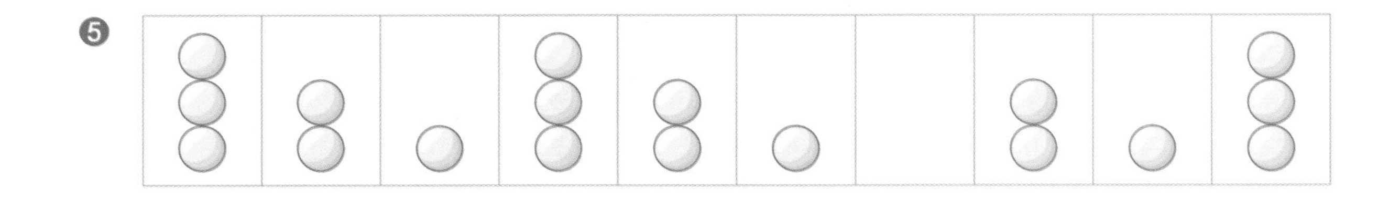

❻
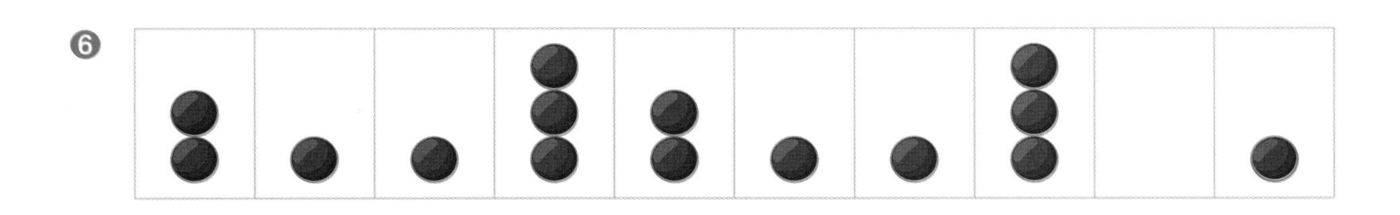

❼
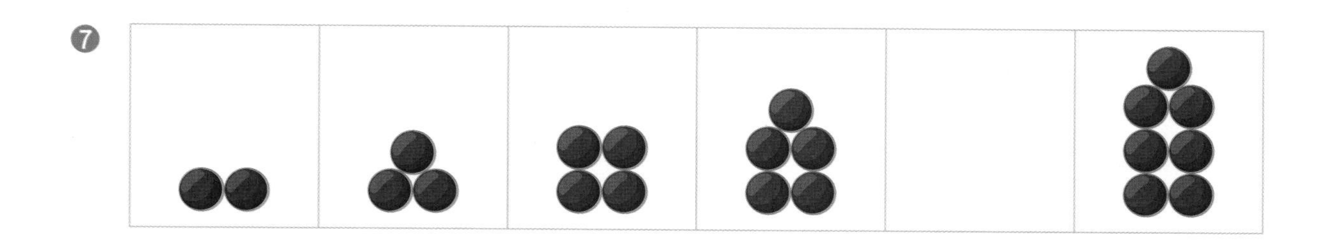

❽
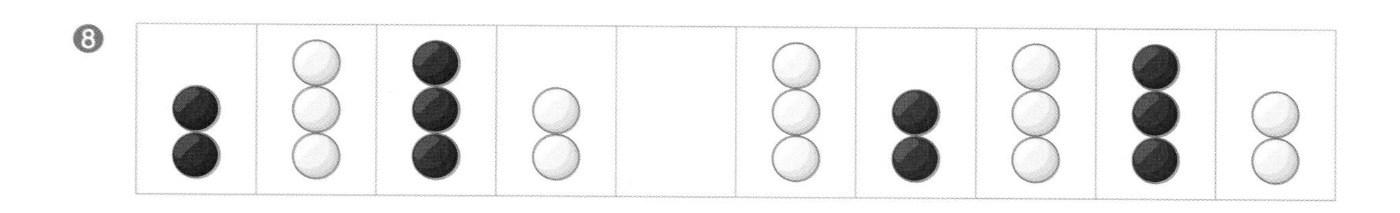

❾
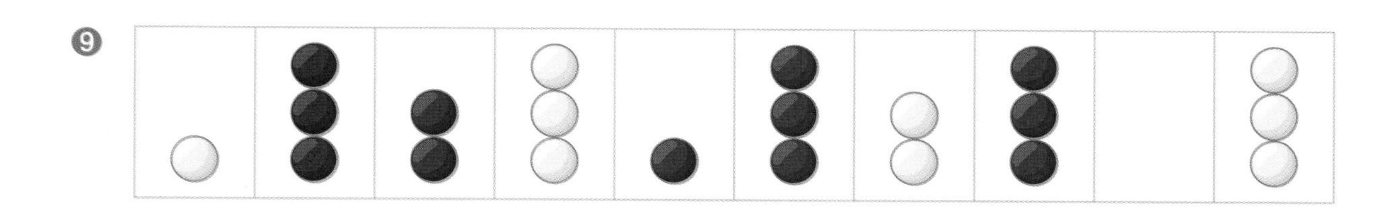

❿
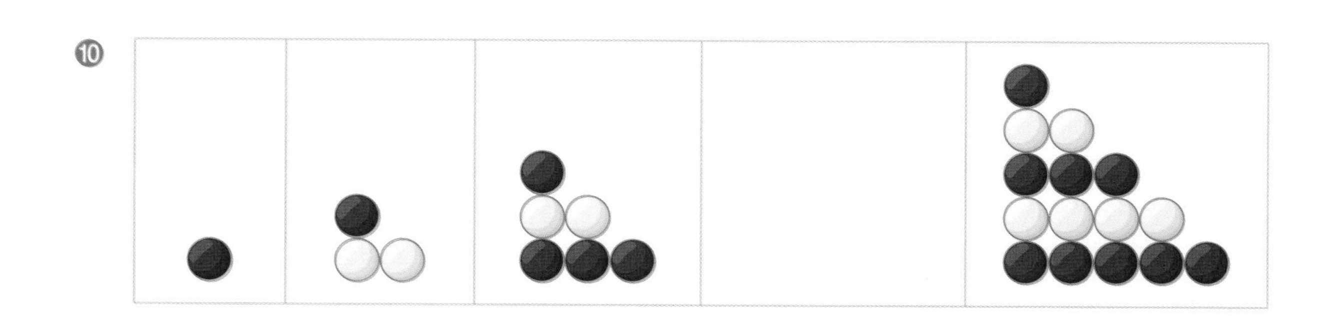

확인학습

✎ 패턴에 맞도록 빈칸에 바둑돌을 그려 보세요.

❶

❷

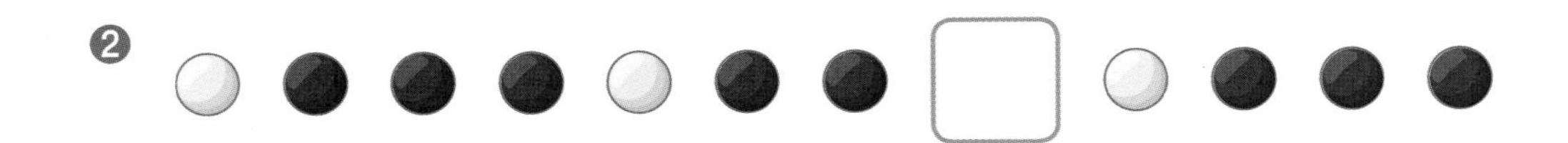

❸

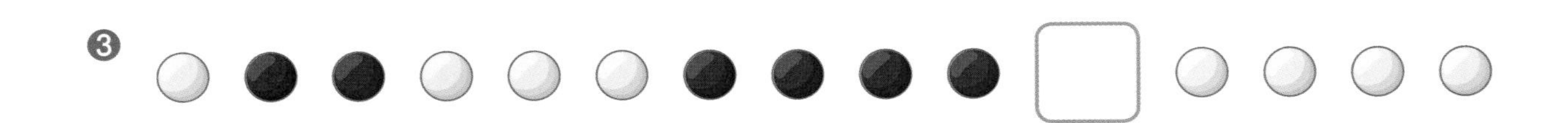

❹

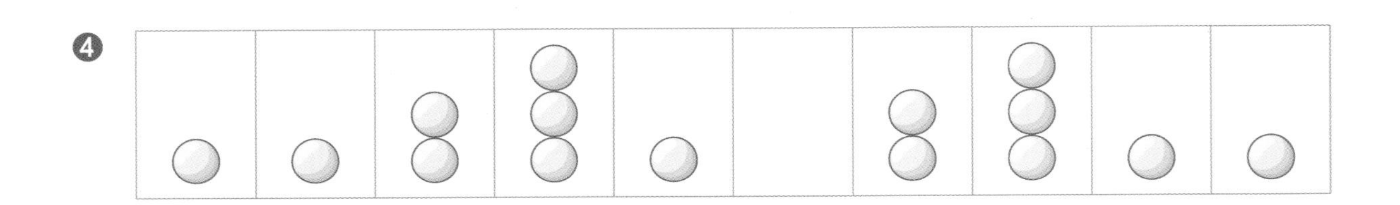

❺

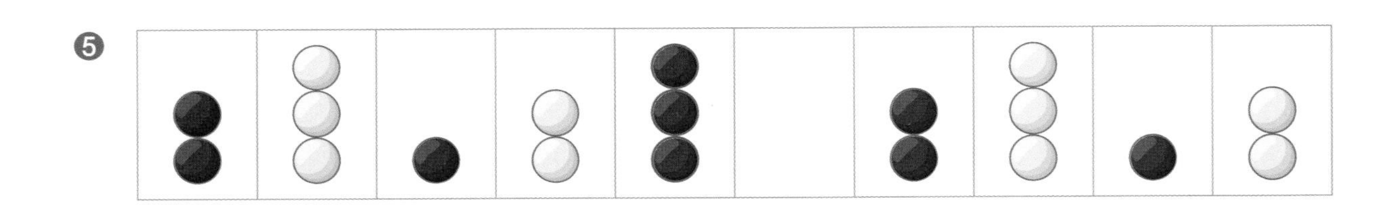

❻

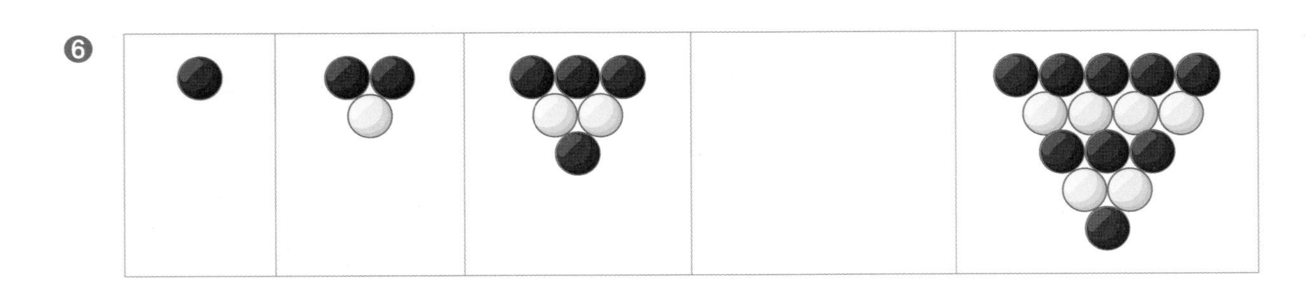

2
주차

이중 패턴

DAY 1 회전 이동 패턴 18

DAY 2 회전 이중 패턴 20

DAY 3 이동과 반전 패턴 22

DAY 4 회전과 증가 패턴 24

DAY 5 패턴의 빈칸 26

확인학습 28

회전 이동 패턴

규칙을 찾아 마지막 모양을 알맞게 완성하세요.

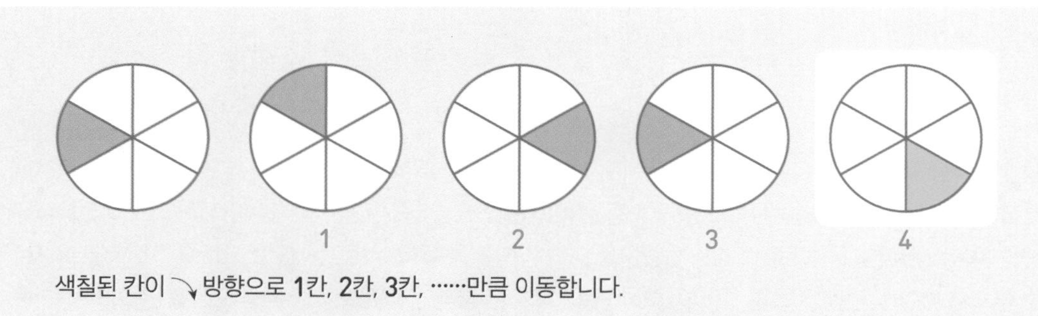

색칠된 칸이 ↘ 방향으로 1칸, 2칸, 3칸, ……만큼 이동합니다.

색칠된 칸이 ↘ 방향으로
몇 칸 이동하는지 수로 써 봐.

❶

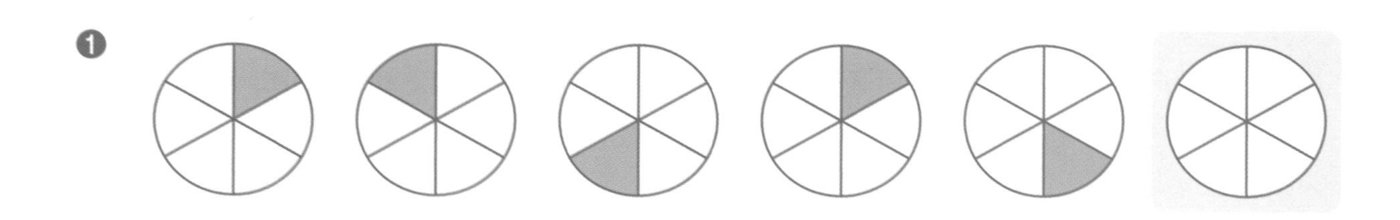

❷

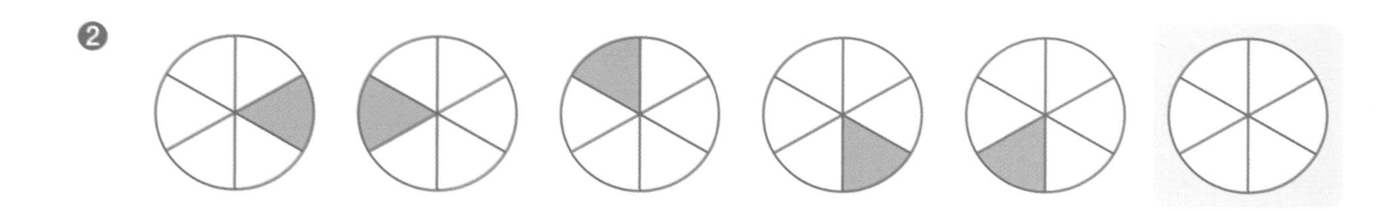

❸

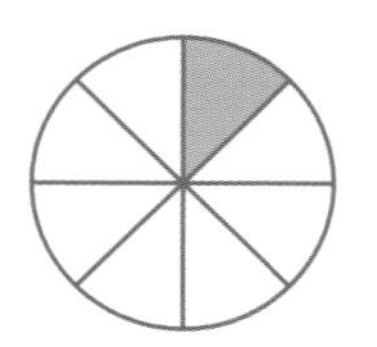 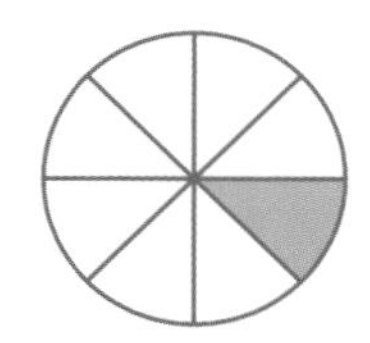 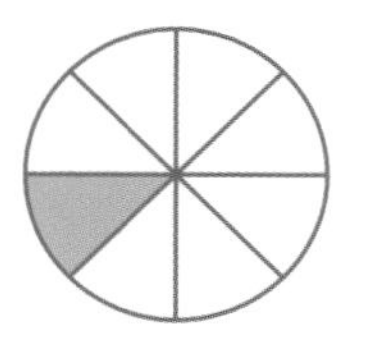 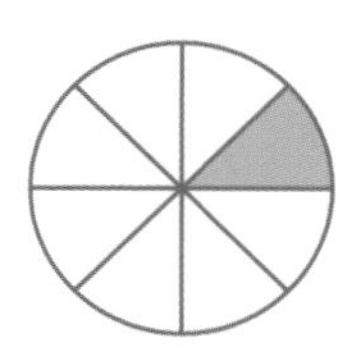 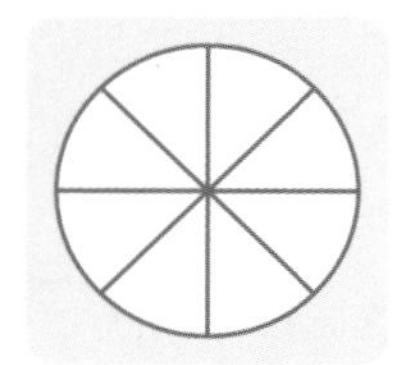

❹

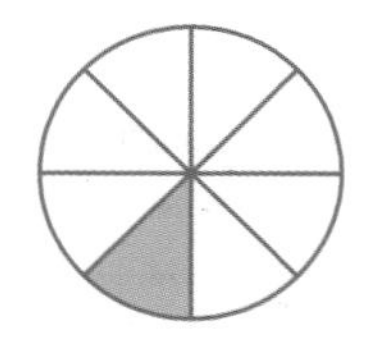 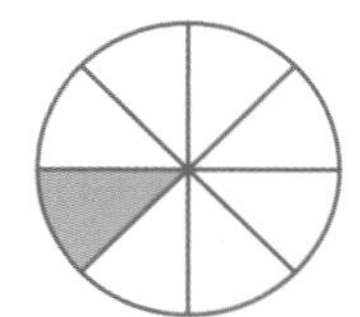 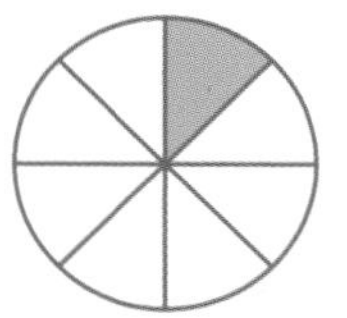 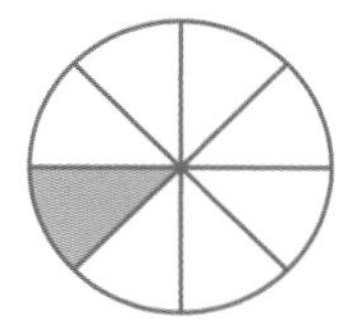 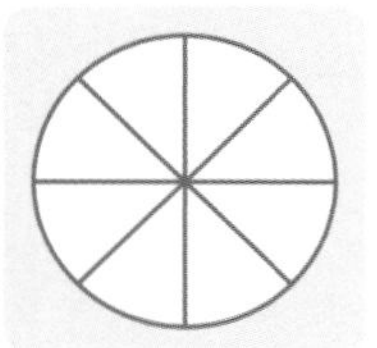

❺

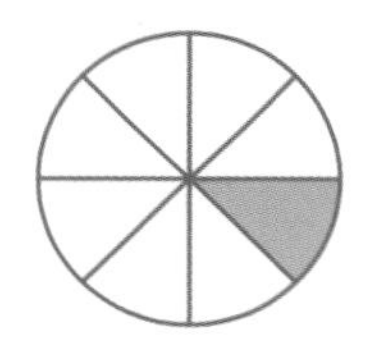 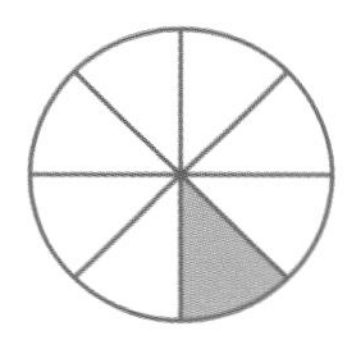 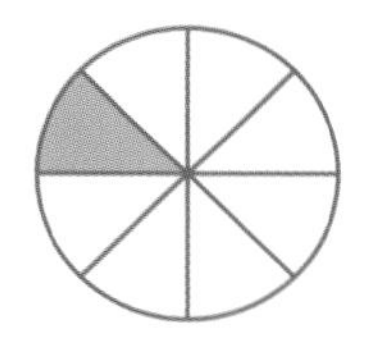 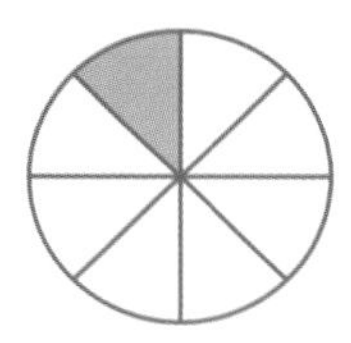 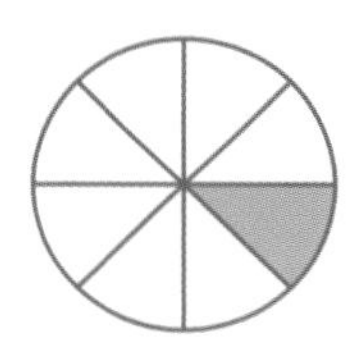 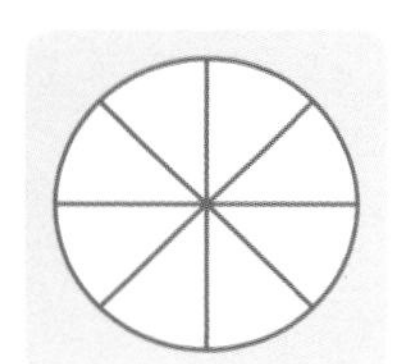

❻

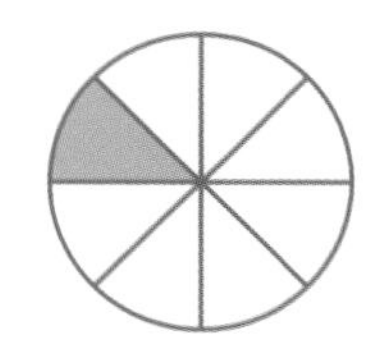 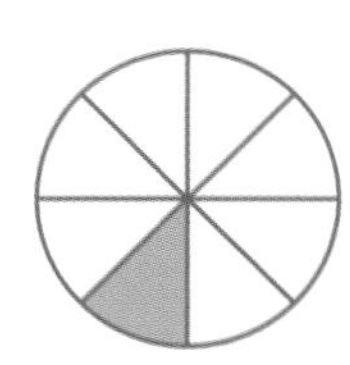 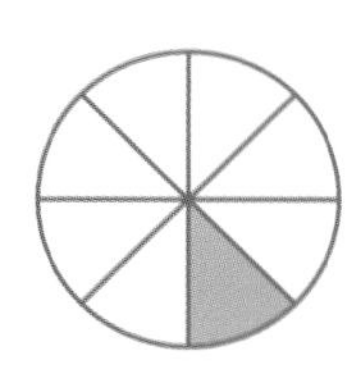 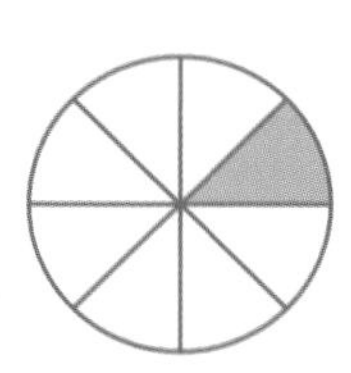 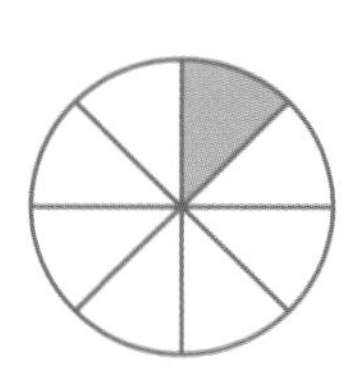 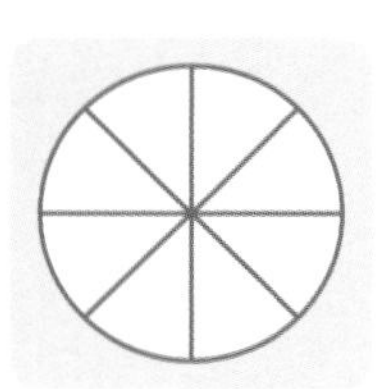

❼

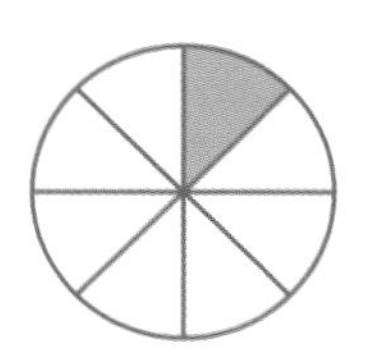 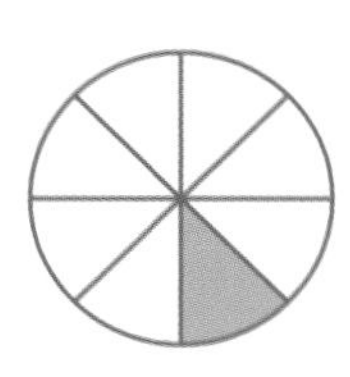 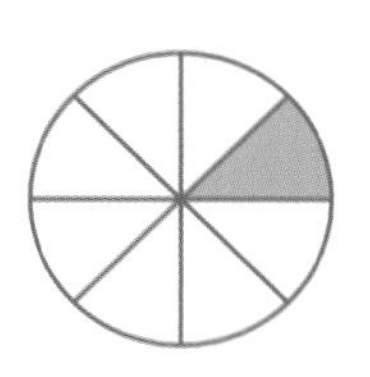 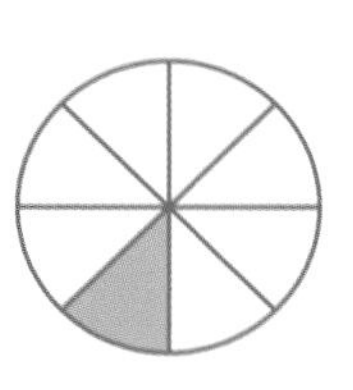 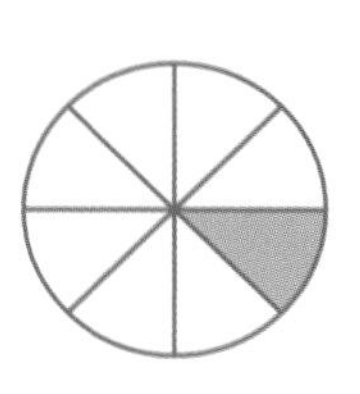 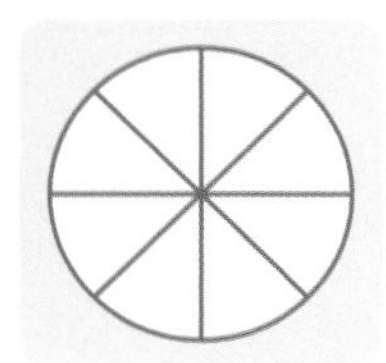

DAY 2 회전 이중 패턴

규칙을 찾아 마지막 모양을 알맞게 완성하세요.

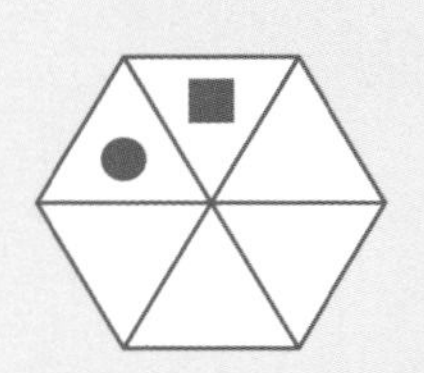
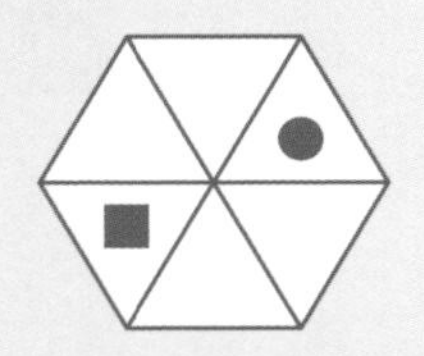
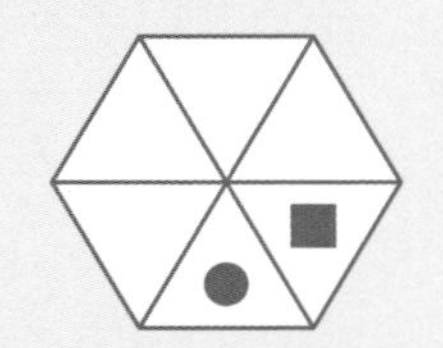
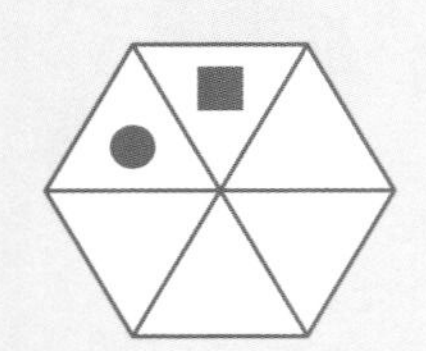
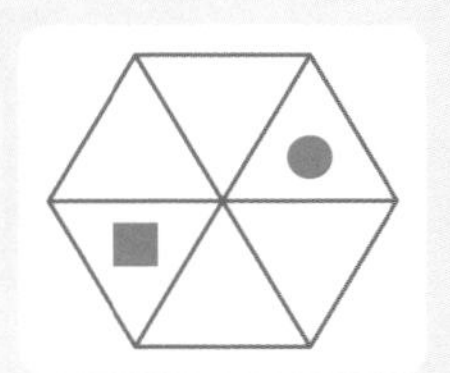

● 모양은 ↘ 방향으로 2칸씩 이동하고, ■ 모양은 ↙ 방향으로 2칸씩 이동합니다.

❶

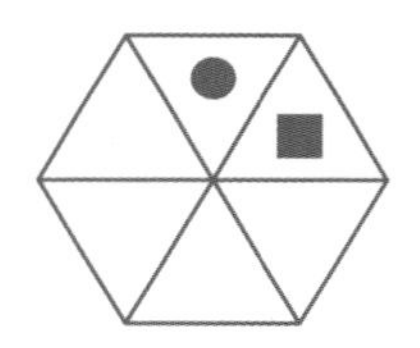
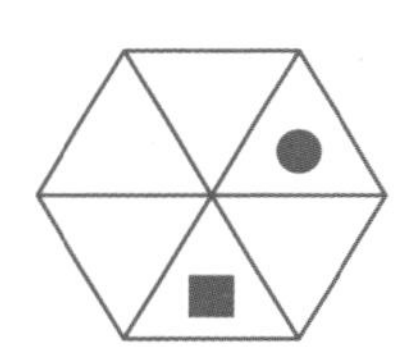
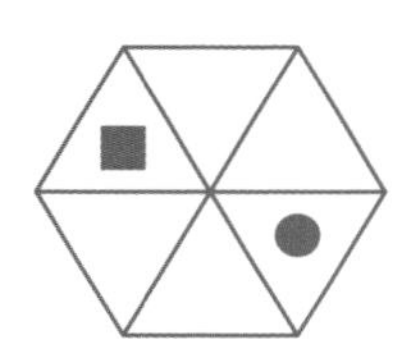
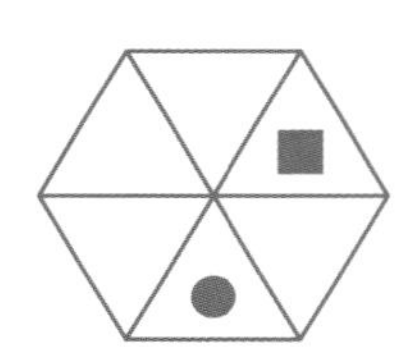
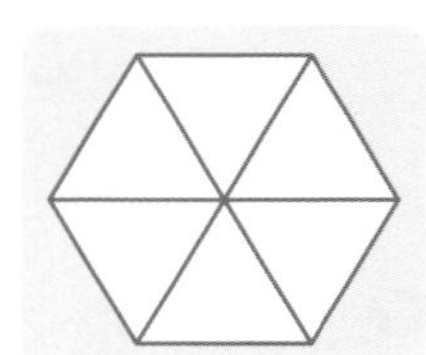

❷

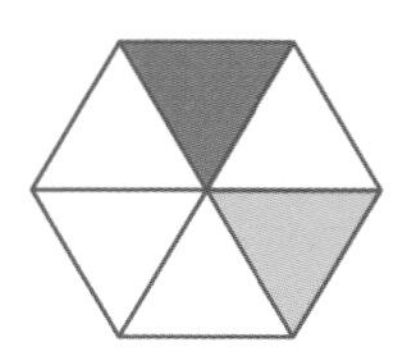
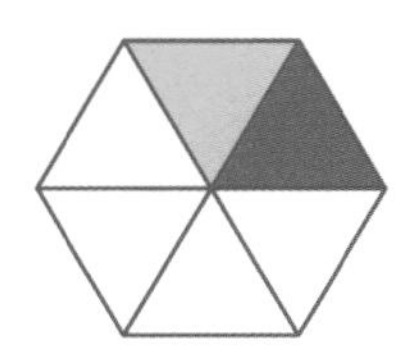
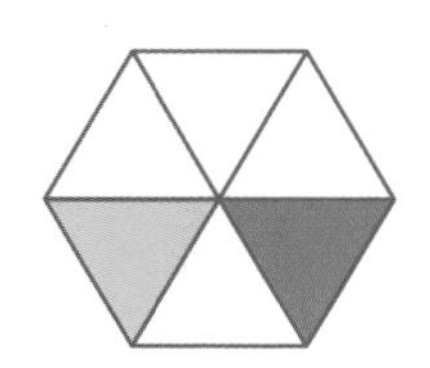
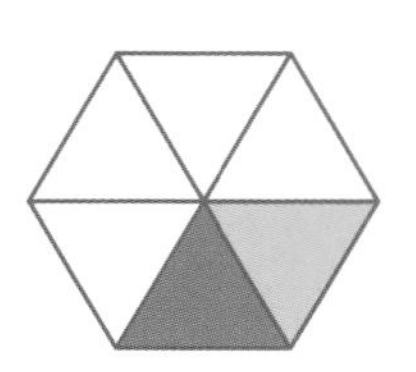
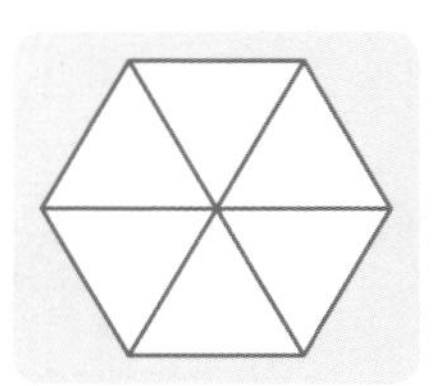

❸

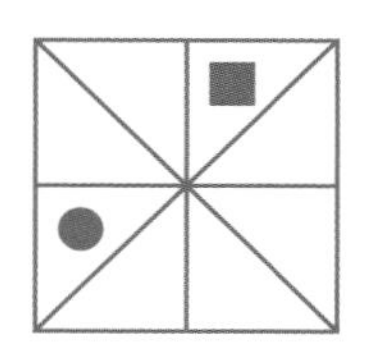 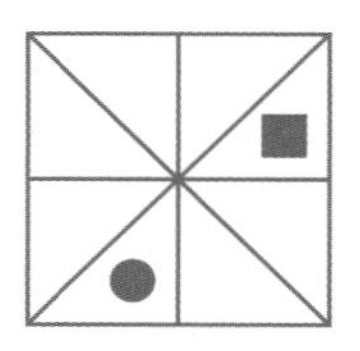 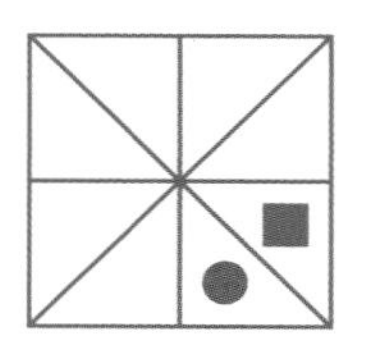 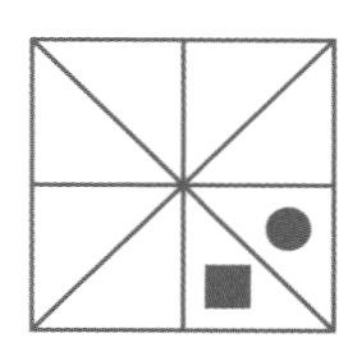 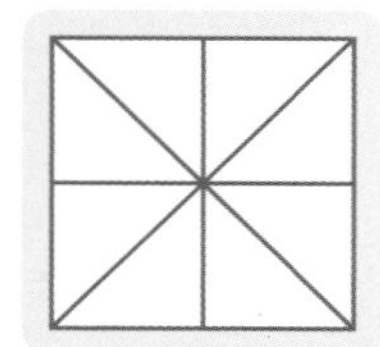

❹

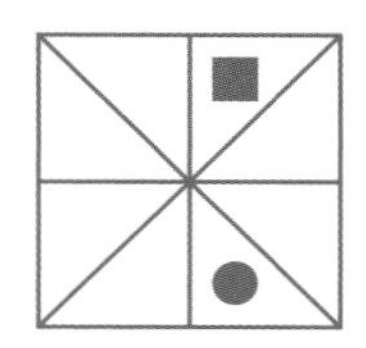 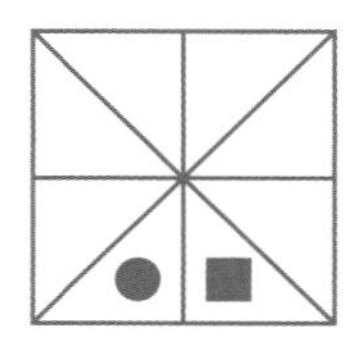 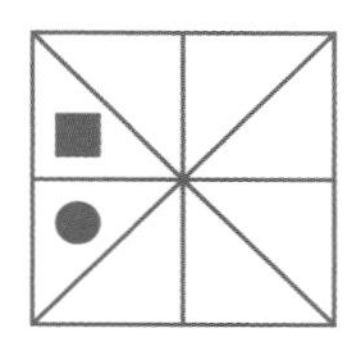 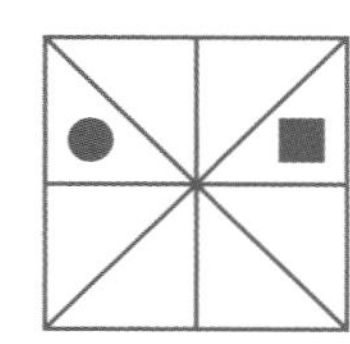 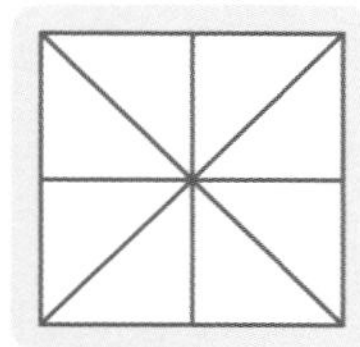

❺

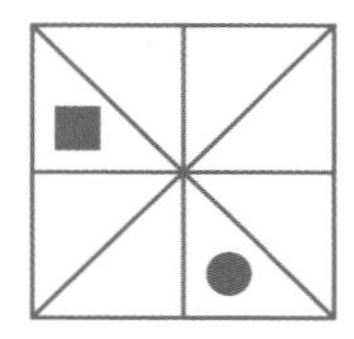 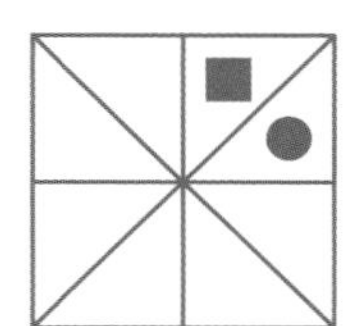 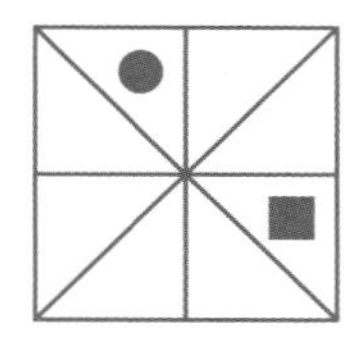 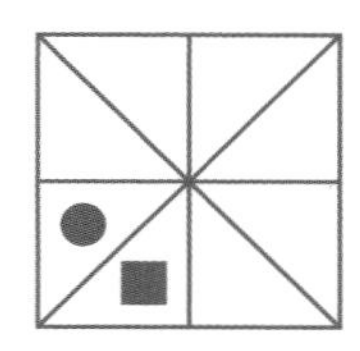 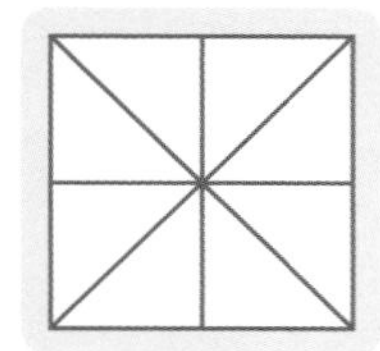

❻

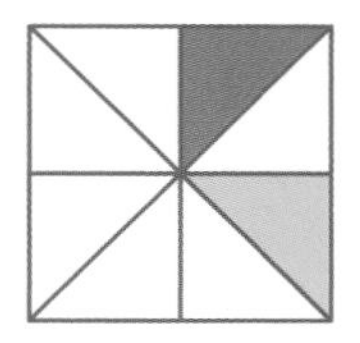 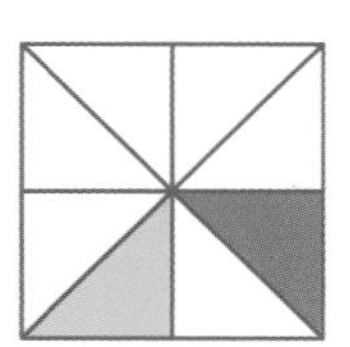 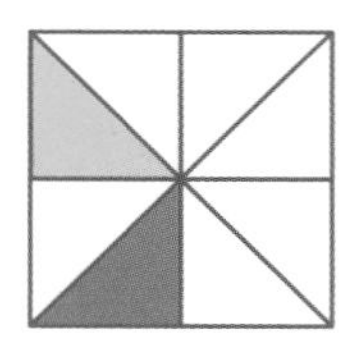 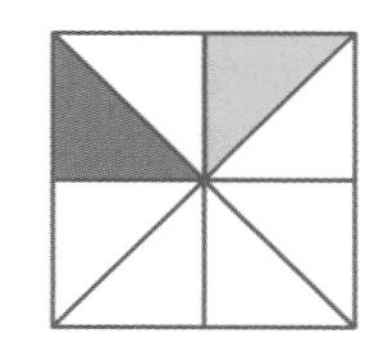 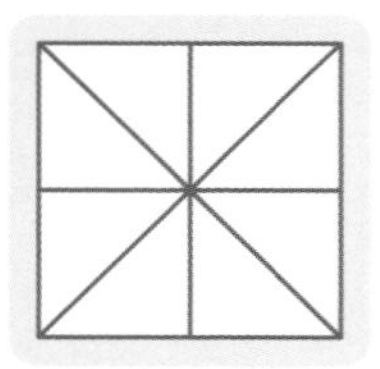

❼

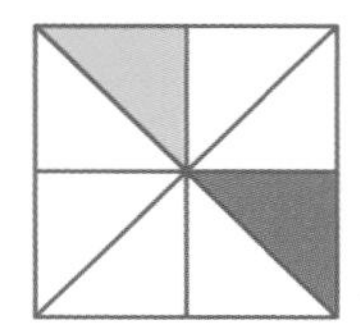 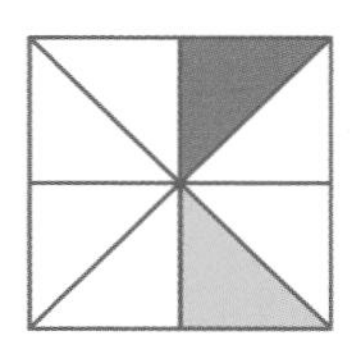 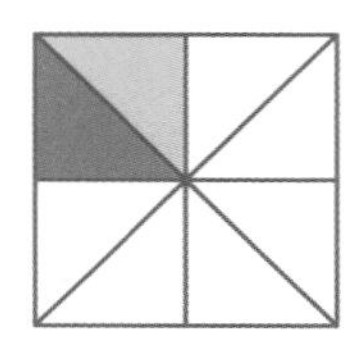 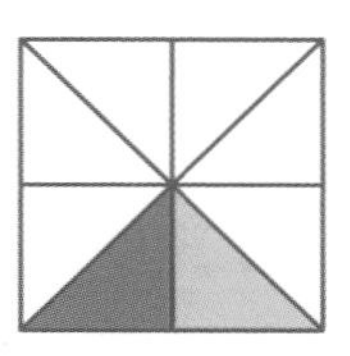 

DAY 3 이동과 반전 패턴

규칙을 찾아 빈 곳을 알맞게 색칠하세요.

색칠된 1칸이 한 칸씩 아래로 내려갑니다. 이때 짝수 번째는 색이 반전됩니다.

두 가지 규칙이 있는 패턴이야. 그중 하나는 반전되는 규칙!

❶

❷

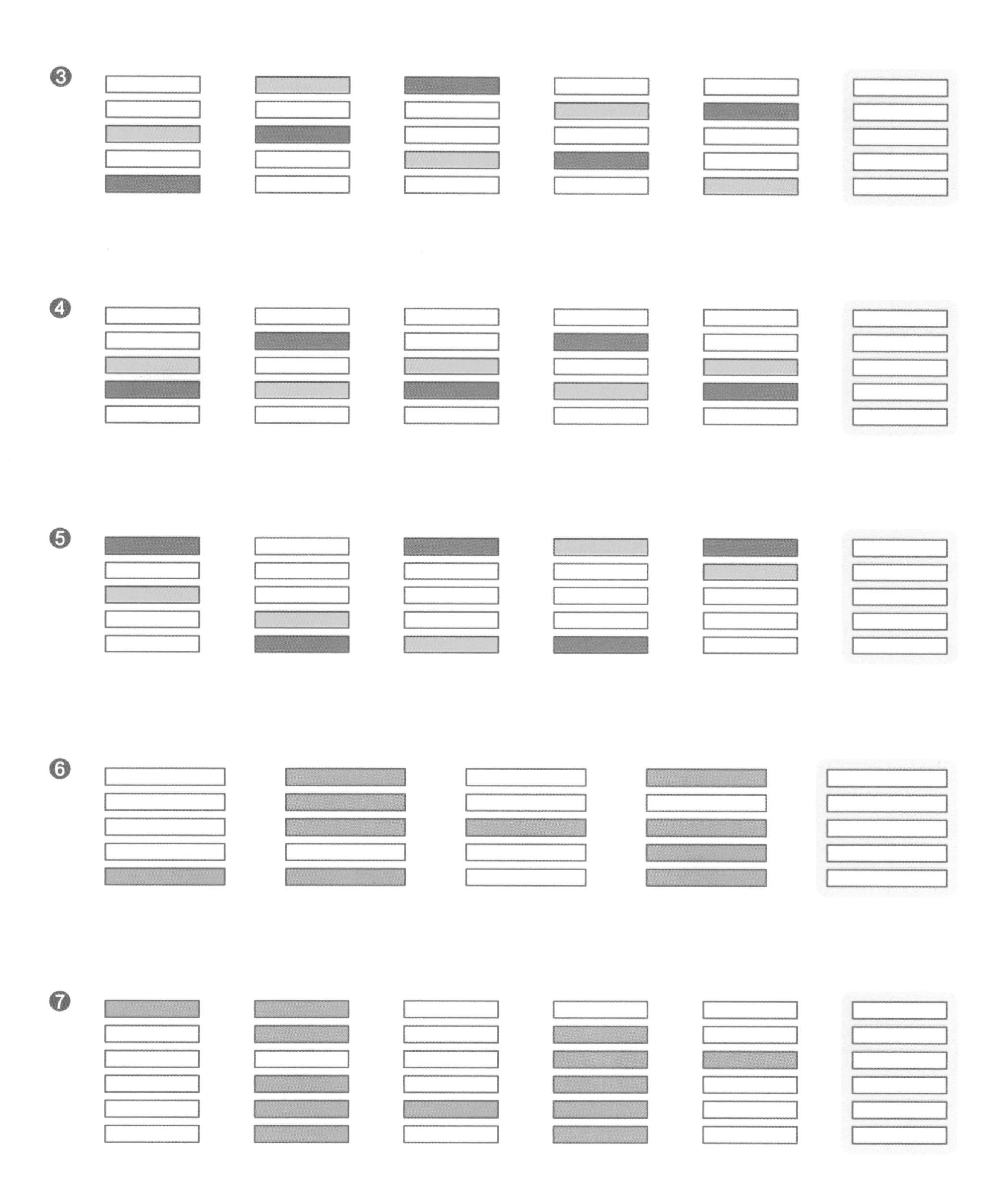

회전과 증가 패턴

규칙을 찾아 빈 곳을 알맞게 색칠하세요.

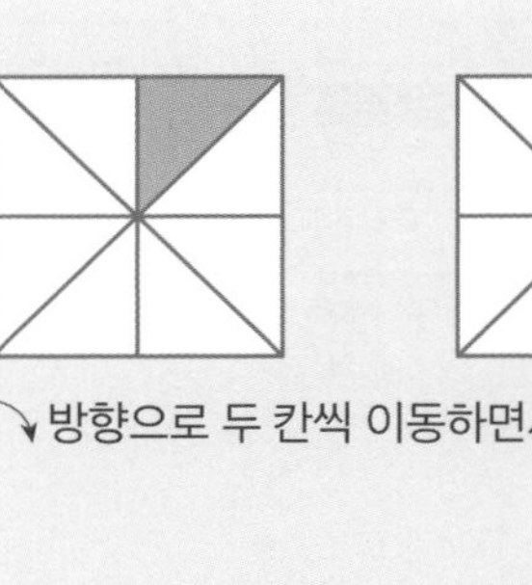
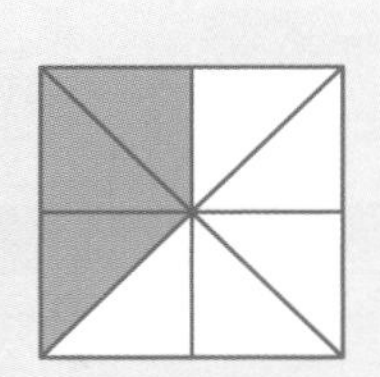
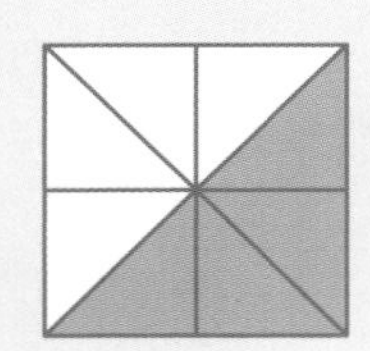
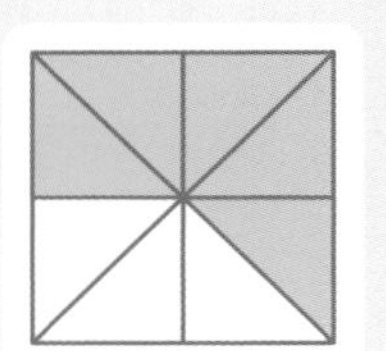

↘ 방향으로 두 칸씩 이동하면서 한 칸씩 늘어나도록 색칠합니다.

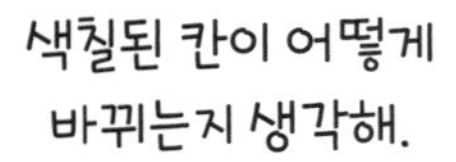

❶

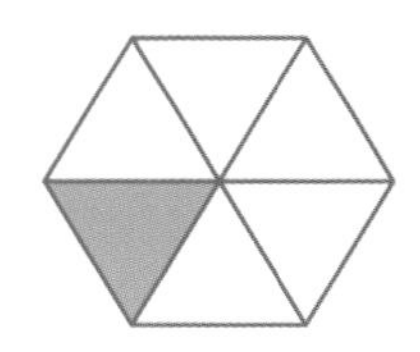
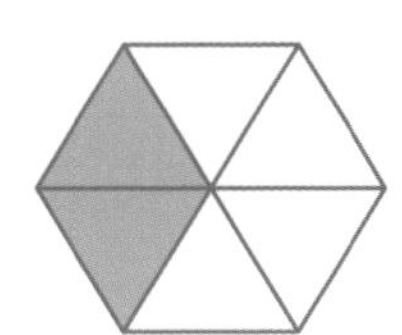
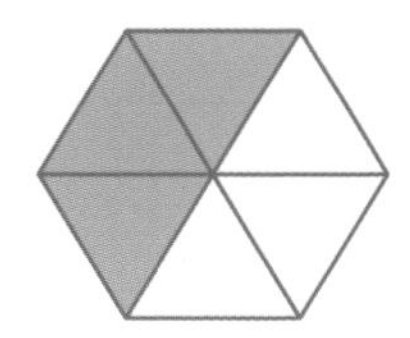
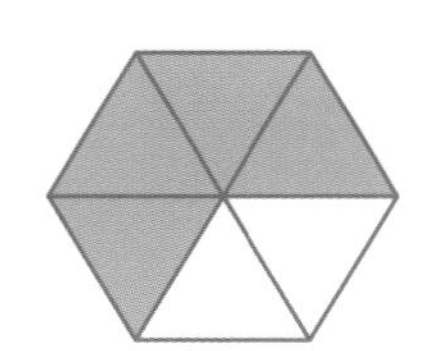
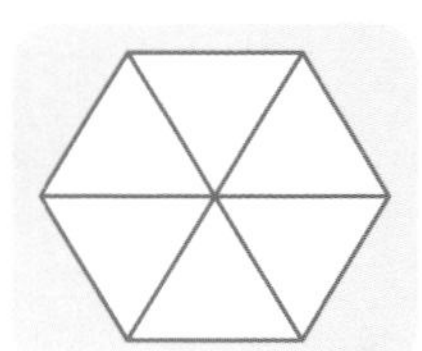

❷

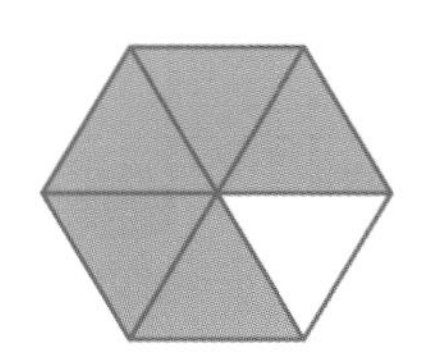
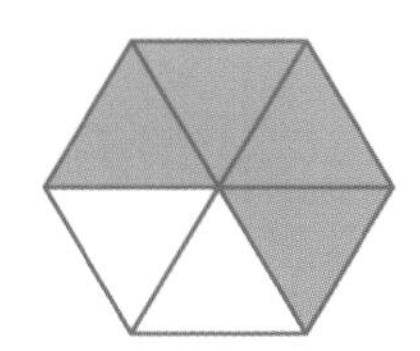
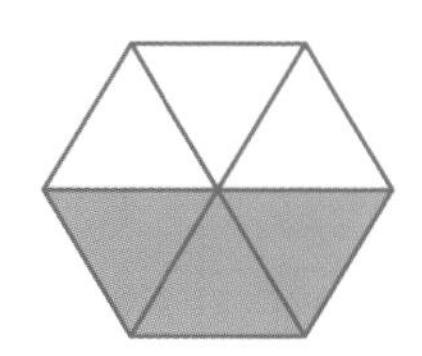
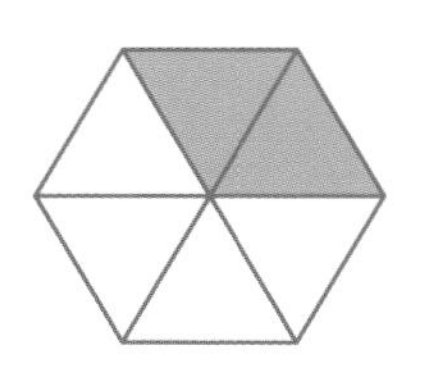
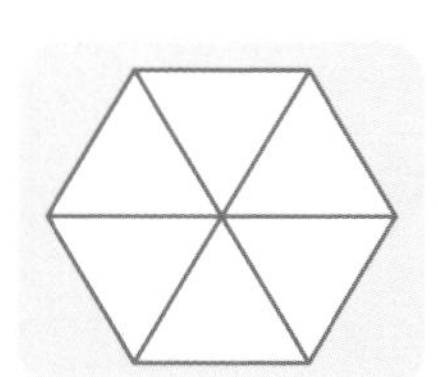

❸

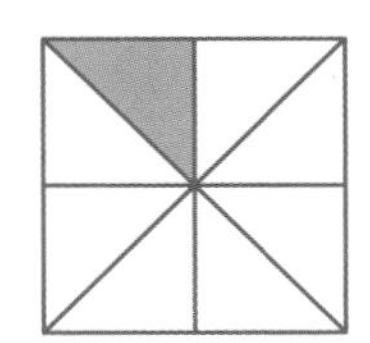 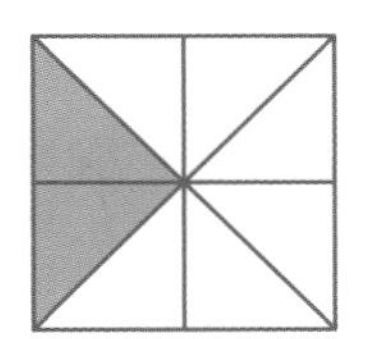 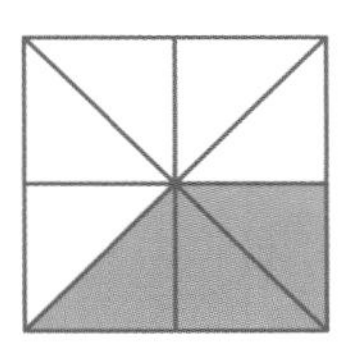 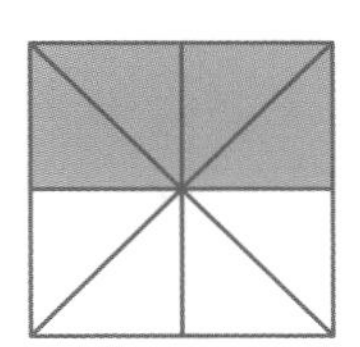 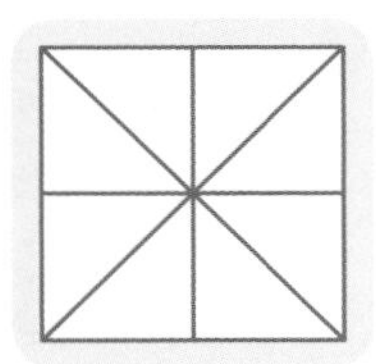

❹

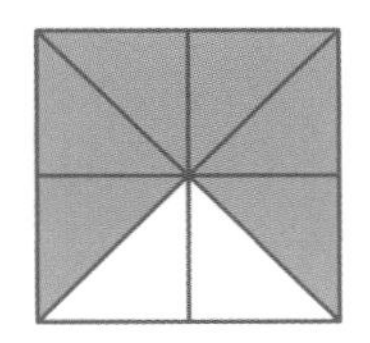 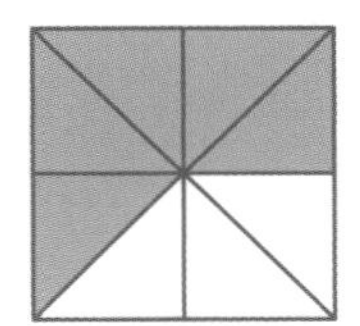 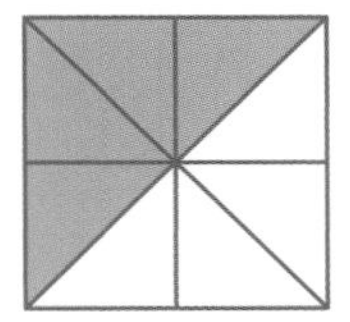 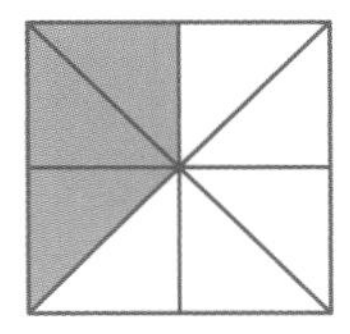 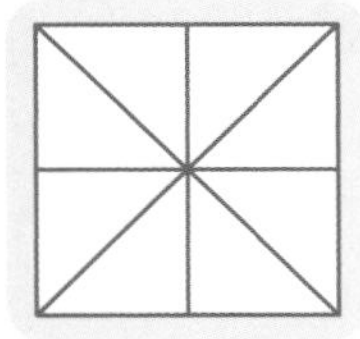

❺

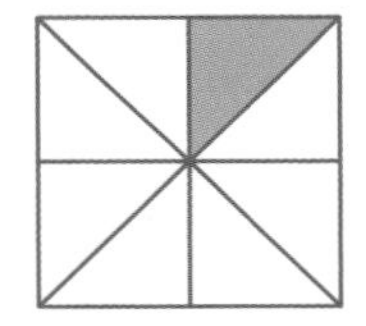 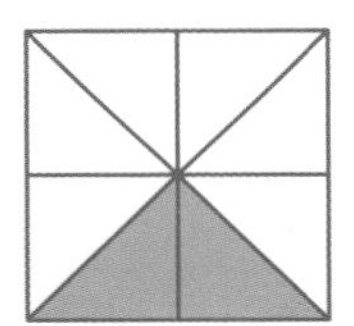 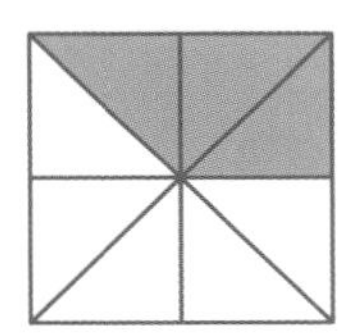 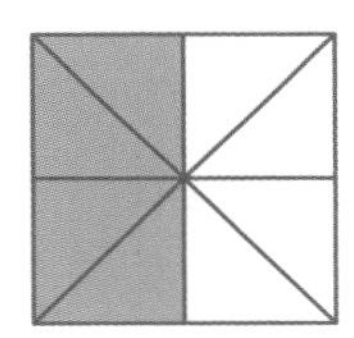 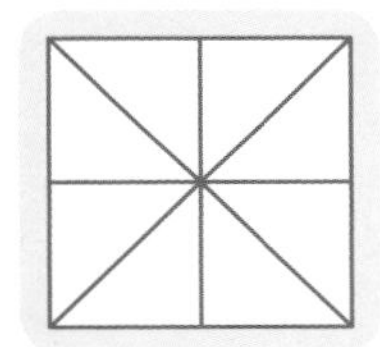

❻

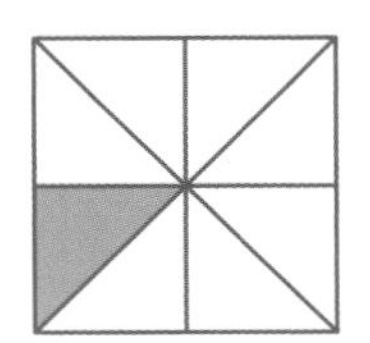 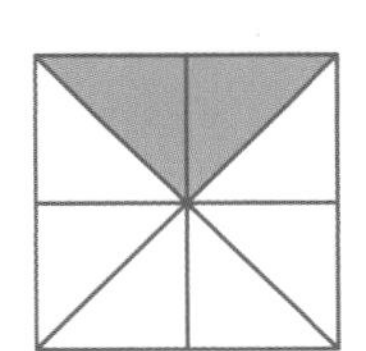 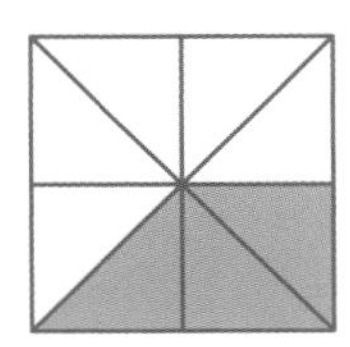 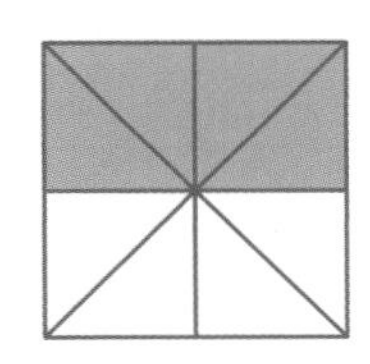 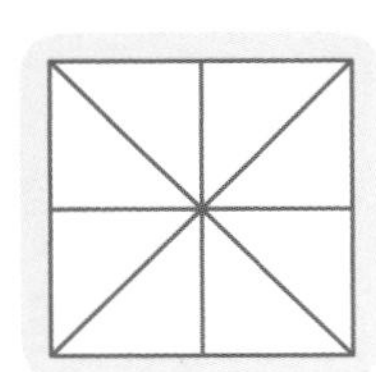

❼

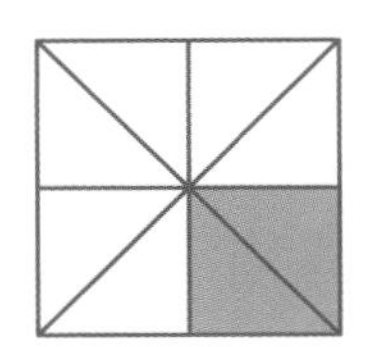 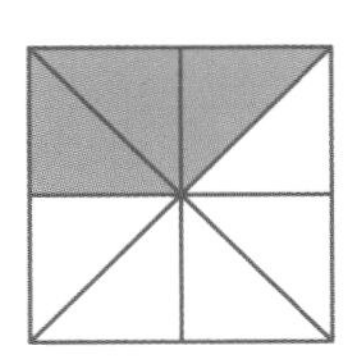 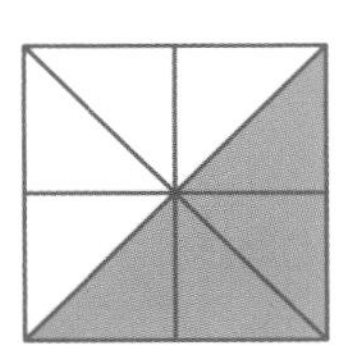 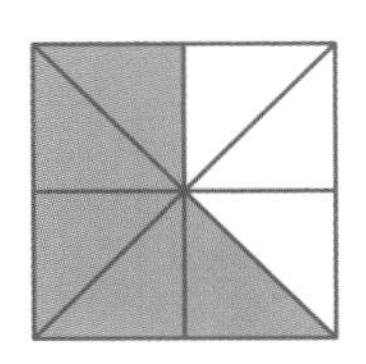 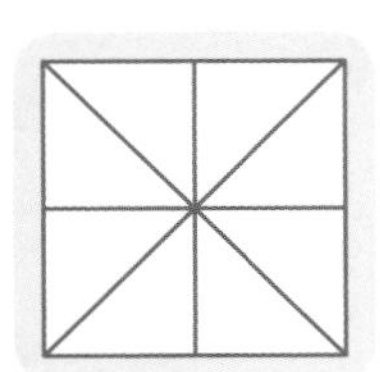

DAY 5 패턴의 빈칸

✎ 규칙을 찾아 빈 곳을 알맞게 색칠하세요.

❶

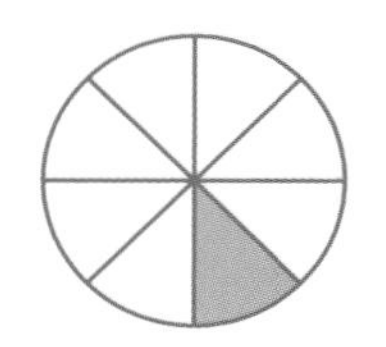 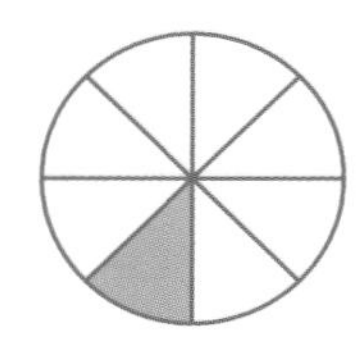 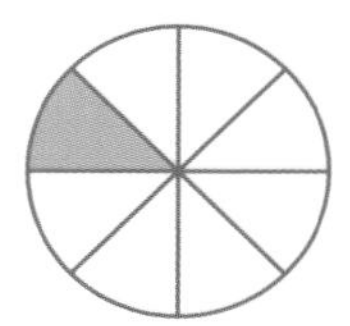 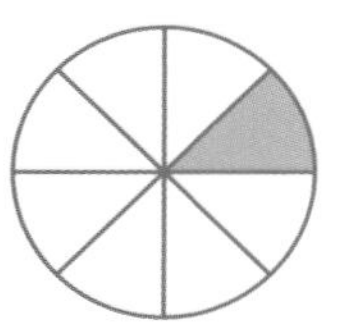 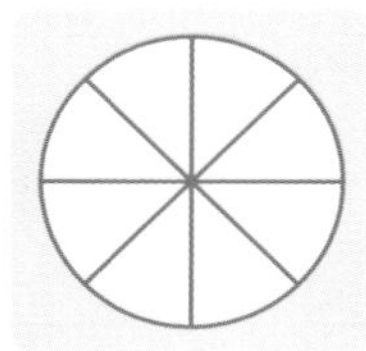 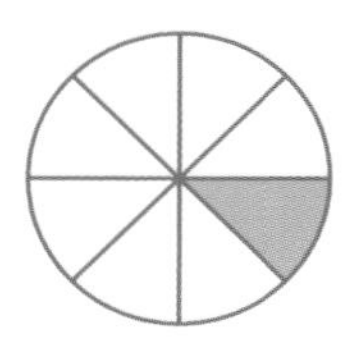

❷

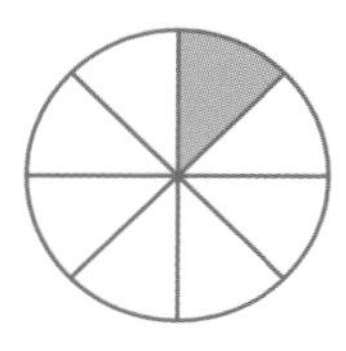 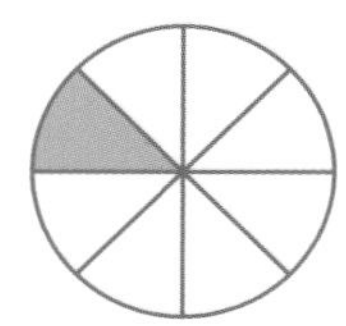 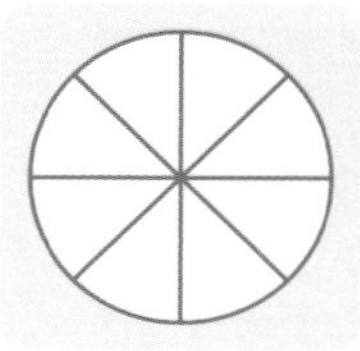 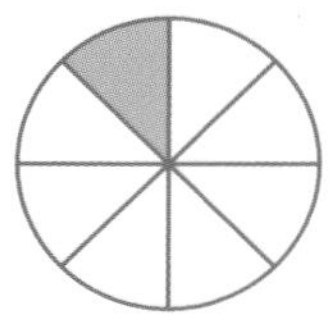 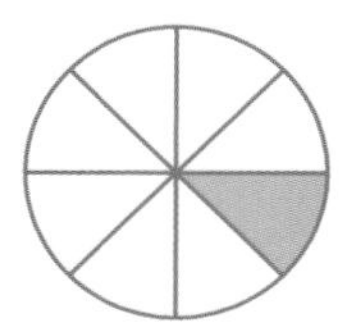 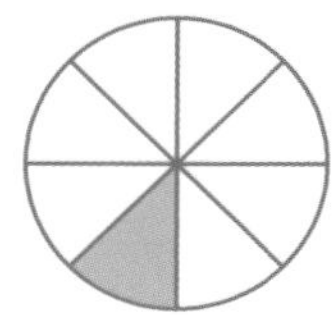

❸

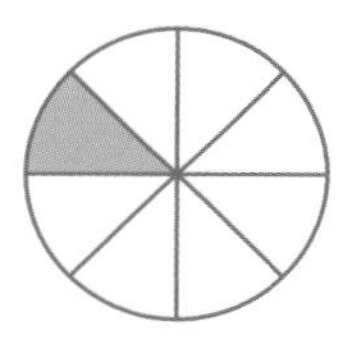 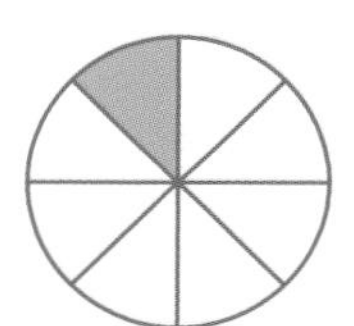 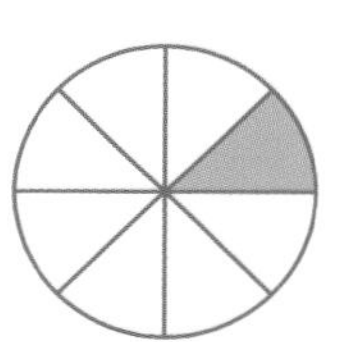 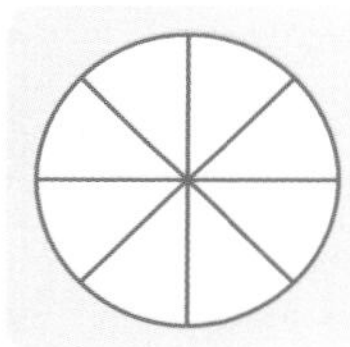 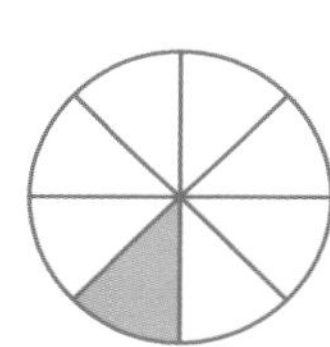 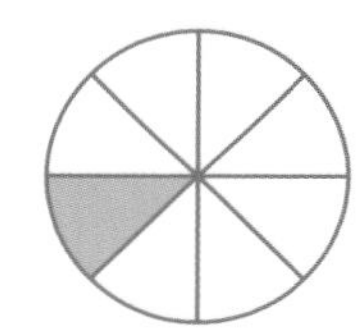

❹

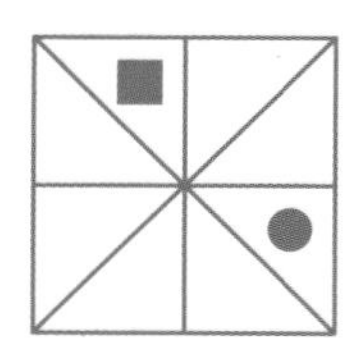 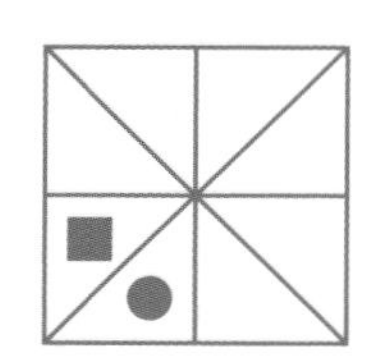 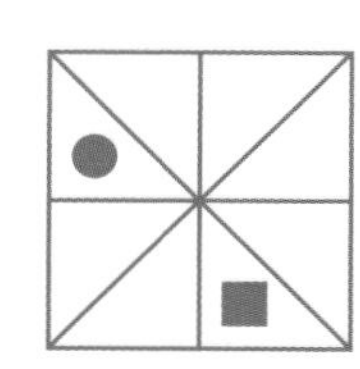 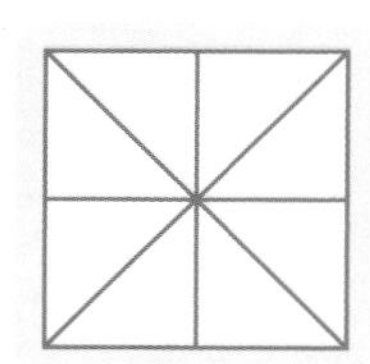 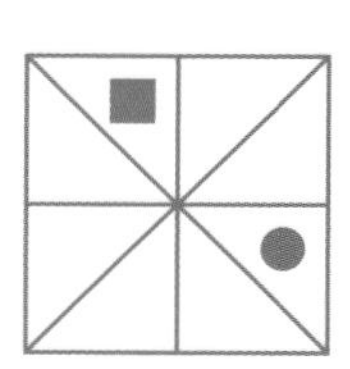

❺

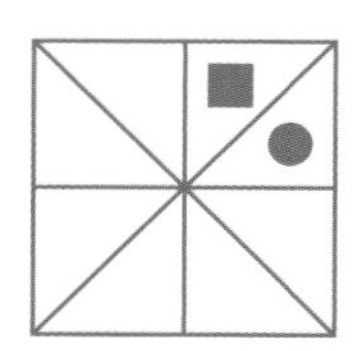 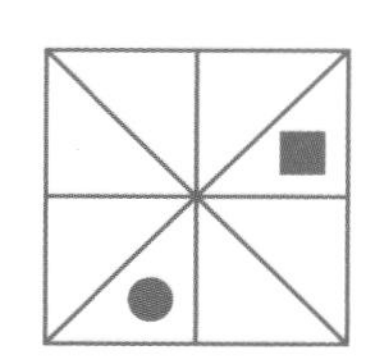 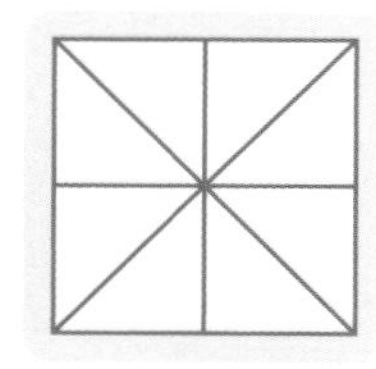 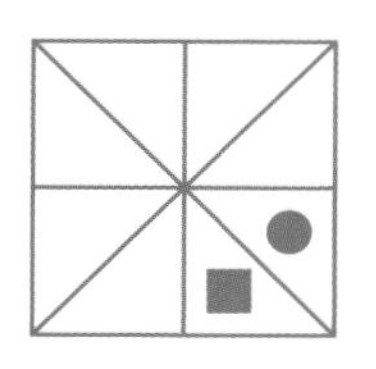 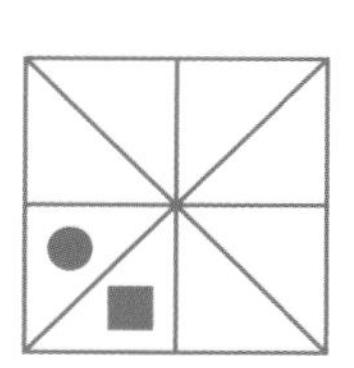

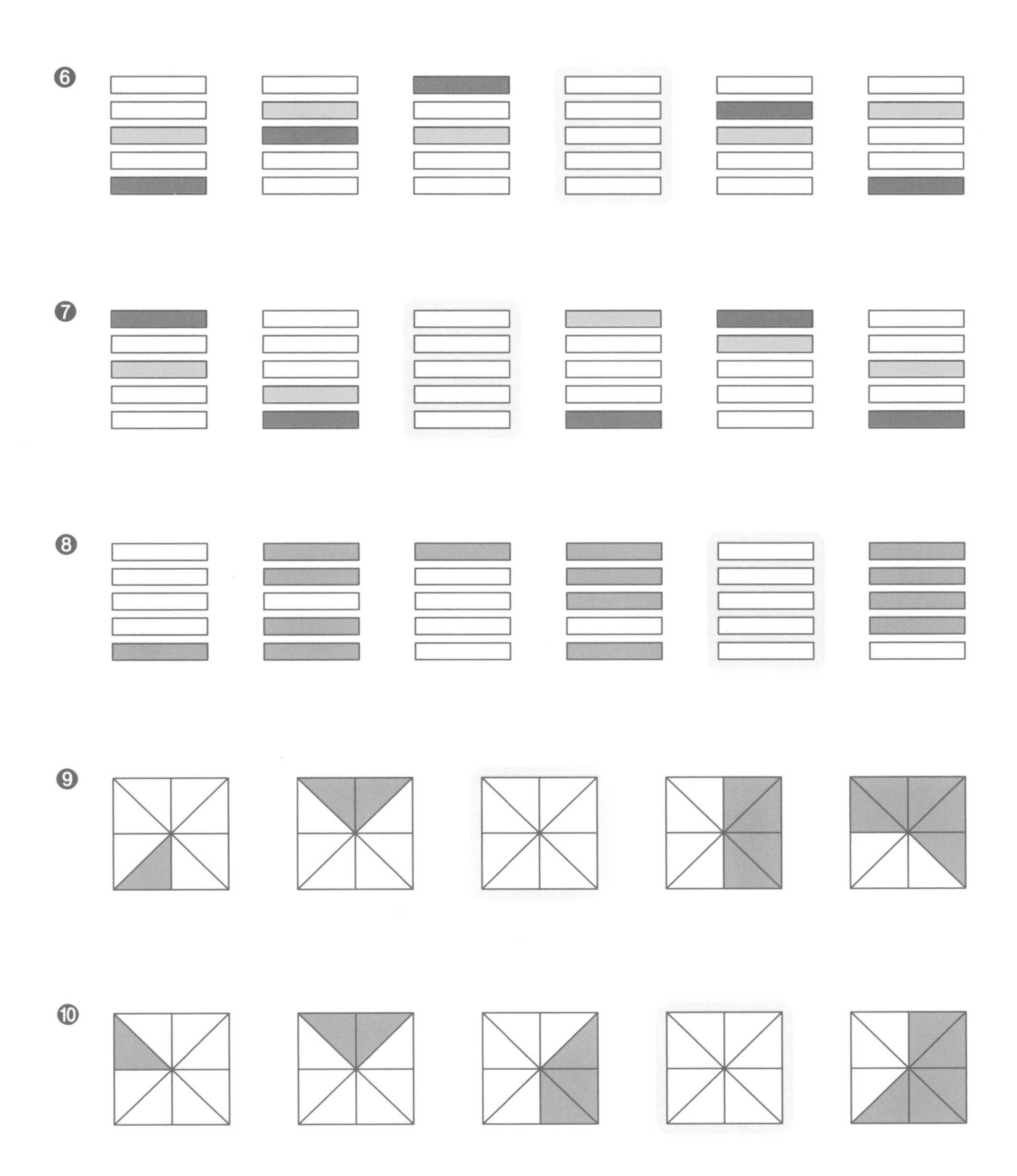
6
7
8
9
10

2 주차

확인학습

규칙을 찾아 빈 곳을 알맞게 색칠하세요.

❶

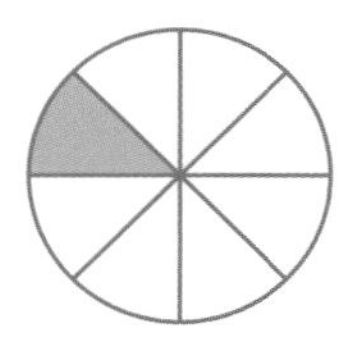 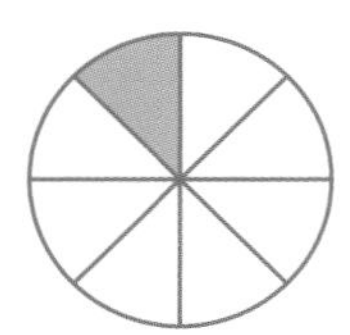 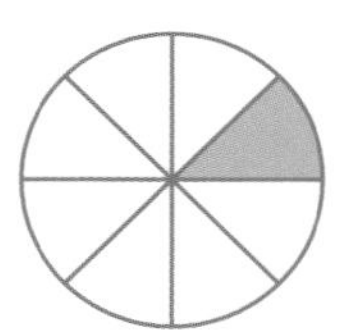 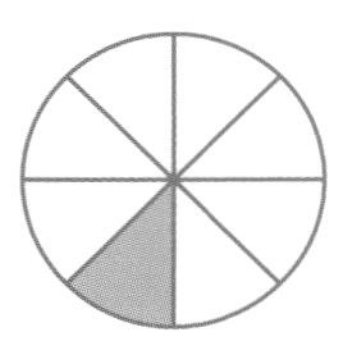 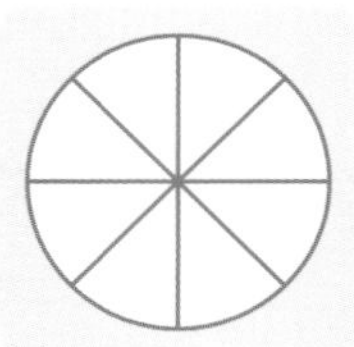 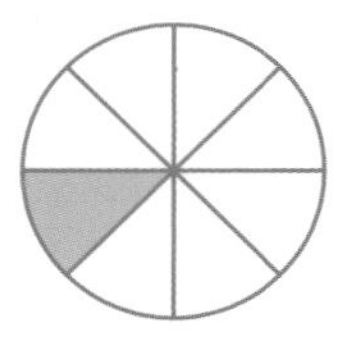

❷

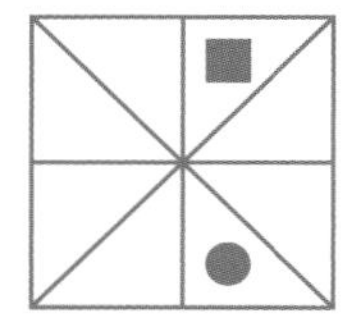 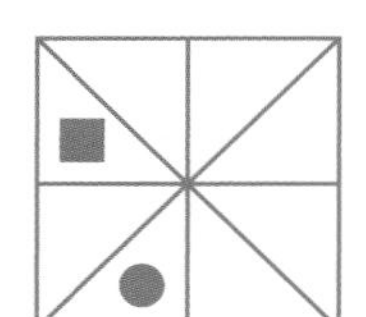 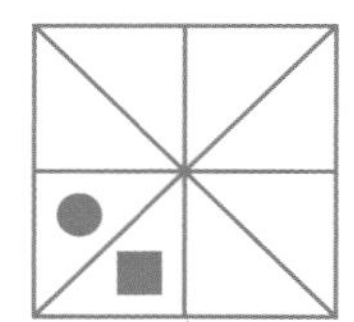 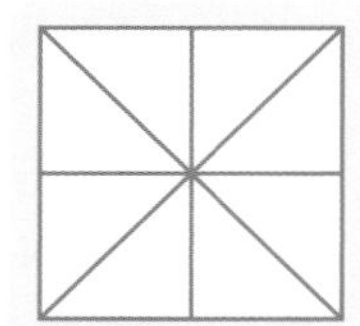 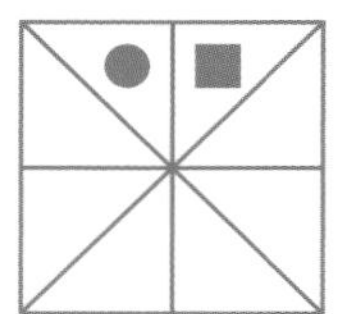

❸

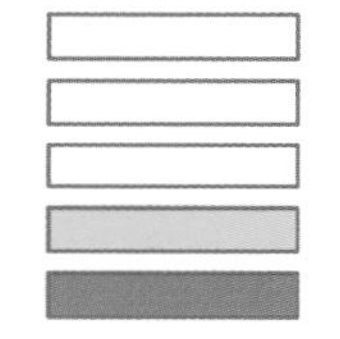 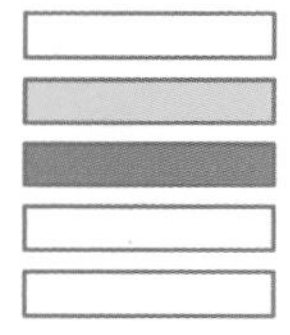 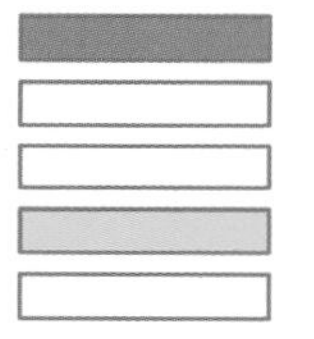 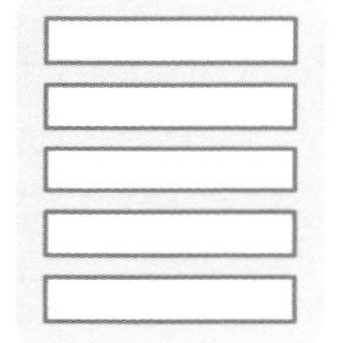 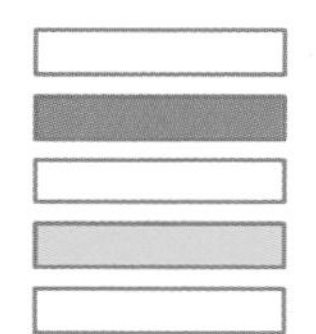 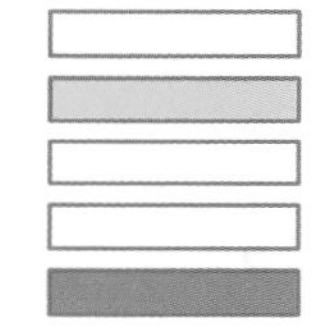

❹

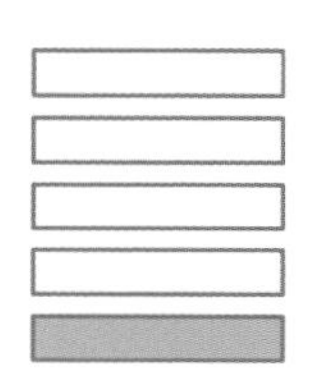 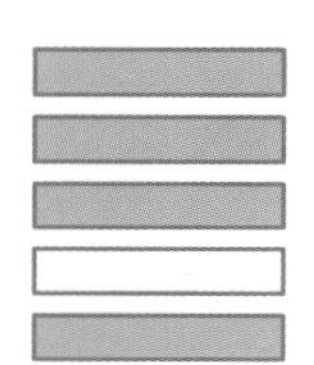 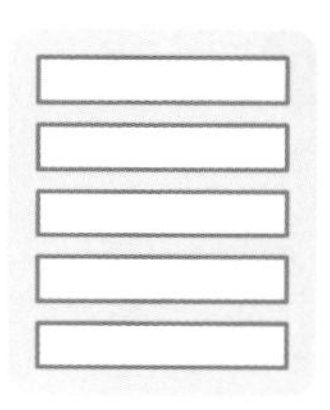  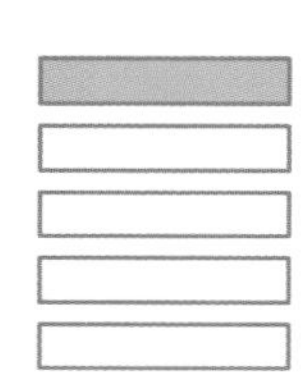 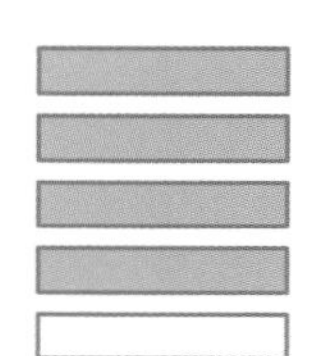

❺

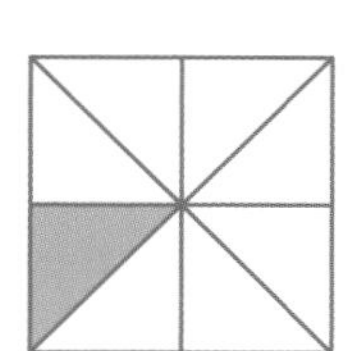 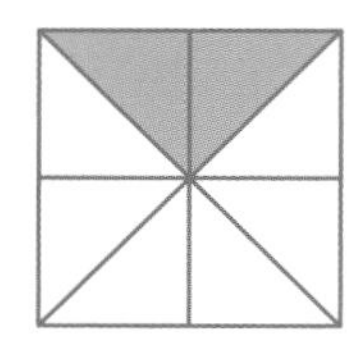 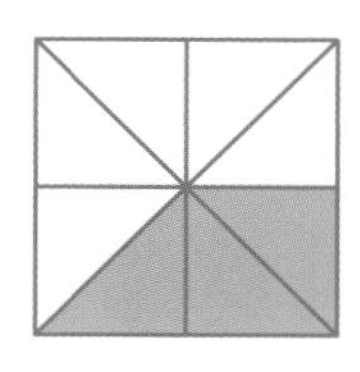 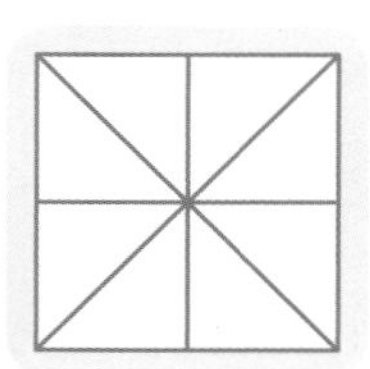 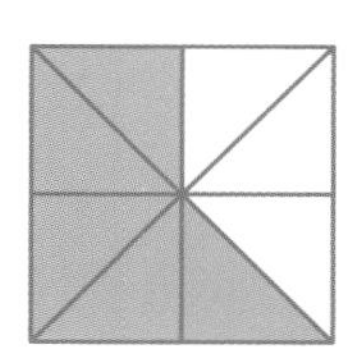 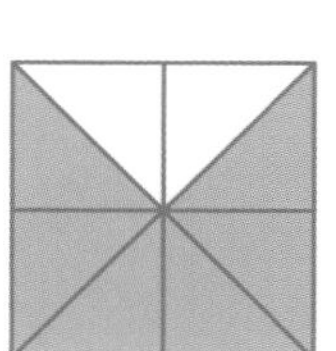

3 주차

수열

DAY 1 수열의 규칙 (1) ······ 30

DAY 2 수열의 규칙 (2) ······ 32

DAY 3 수열 완성하기 ······ 34

DAY 4 수열의 빈칸 ······ 36

DAY 5 두 가지 규칙의 수열 ······ 38

확인학습 ······ 40

DAY 1 수열의 규칙 (1)

✎ □ 안에 알맞은 수를 써넣고, 맞는 것에 ○표 하세요.

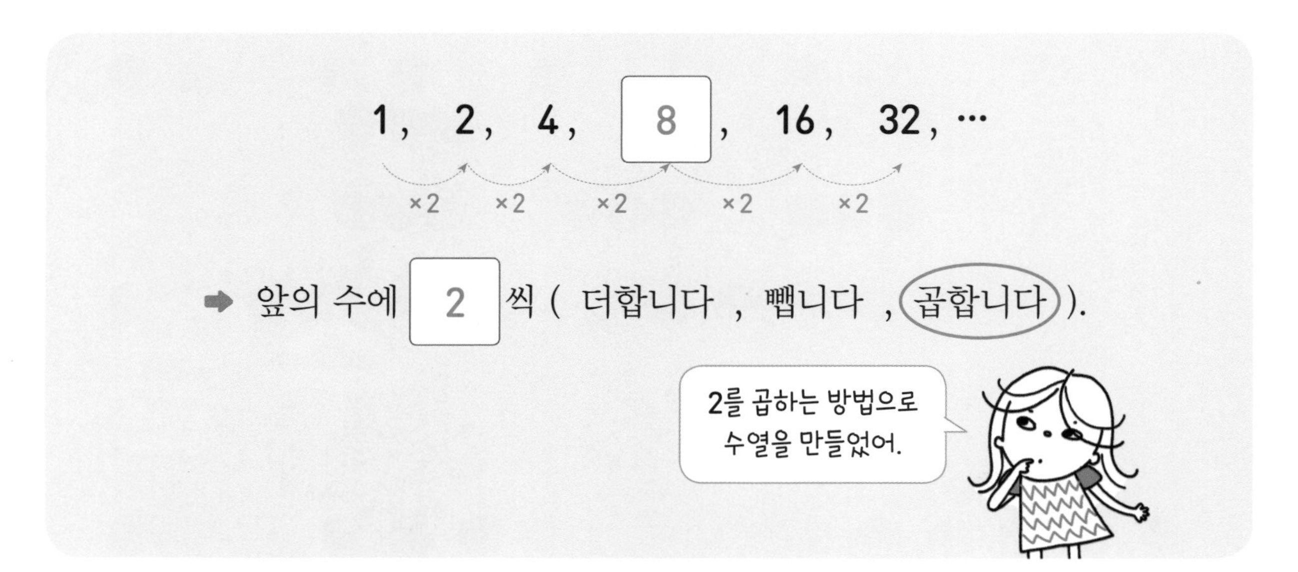

1, 2, 4, 8, 16, 32, …
×2 ×2 ×2 ×2 ×2
➡ 앞의 수에 2 씩 (더합니다 , 뺍니다 , 곱합니다).
2를 곱하는 방법으로
수열을 만들었어.

❶ 3, 9, □, 21, 27, 33, …

➡ 앞의 수에 □ 씩 (더합니다 , 뺍니다 , 곱합니다).

❷ 51, 44, 37, 30, □, 16, …

➡ 앞의 수에서 □ 씩 (더합니다 , 뺍니다 , 곱합니다).

❸ 3, 6, 12, □, 48, 96, …

➡ 앞의 수에 □ 씩 (더합니다 , 뺍니다 , 곱합니다).

❹ 9, 17, 25, ☐, 41, 49, ⋯

➡ 앞의 수에 ☐ 씩 (더합니다 , 뺍니다 , 곱합니다).

❺ 1, 3, 9, ☐, 81, ⋯

➡ 앞의 수에 ☐ 씩 (더합니다 , 뺍니다 , 곱합니다).

❻ 19, 31, ☐, 55, 67, 79, ⋯

➡ 앞의 수에 ☐ 씩 (더합니다 , 뺍니다 , 곱합니다).

❼ 80, 71, 62, ☐, 44, 35, ⋯

➡ 앞의 수에서 ☐ 씩 (더합니다 , 뺍니다 , 곱합니다).

❽ 5, 10, 20, ☐, 80, ⋯

➡ 앞의 수에 ☐ 씩 (더합니다 , 뺍니다 , 곱합니다).

DAY 2 수열의 규칙 (2)

수열의 규칙을 찾아 선으로 이어 보세요.

	수열	규칙
❶	4, 11, 18, 25, 32, 39, ⋯	더하는 수가 1, 4로 반복됩니다.
❷	3, 6, 12, 24, 48, 96, ⋯	앞의 수에 7을 더합니다.
❸	3, 4, 8, 9, 13, 14, 18, ⋯	바로 앞의 두 수의 합입니다.
❹	1, 3, 7, 13, 21, 31, 43, ⋯	앞의 수에 2를 곱합니다.
❺	23, 17, 12, 8, 5, 3, ⋯	더하는 수가 2부터 2씩 커집니다.
❻	1, 1, 2, 3, 5, 8, 13, 21, ⋯	빼는 수가 6부터 1씩 작아집니다.

❼ 1, 4, 5, 9, 14, 23, 37, ⋯

❽ 31, 28, 25, 22, 19, 16, ⋯

❾ 2, 6, 18, 54, ⋯

❿ 3, 7, 12, 18, 25, 33, ⋯

⓫ 1, 4, 12, 15, 23, 26, 34, ⋯

⓬ 50, 48, 43, 35, 24, 10, ⋯

더하는 수가 4부터 1씩 커집니다.

앞의 수에서 3을 뺍니다.

바로 앞의 두 수의 합입니다.

빼는 수가 2부터 3씩 커집니다.

앞의 수에 3을 곱합니다.

더하는 수가 3, 8로 반복됩니다.

DAY 3 수열 완성하기

수열입니다. ☐ 안에 알맞은 수를 써넣으세요.

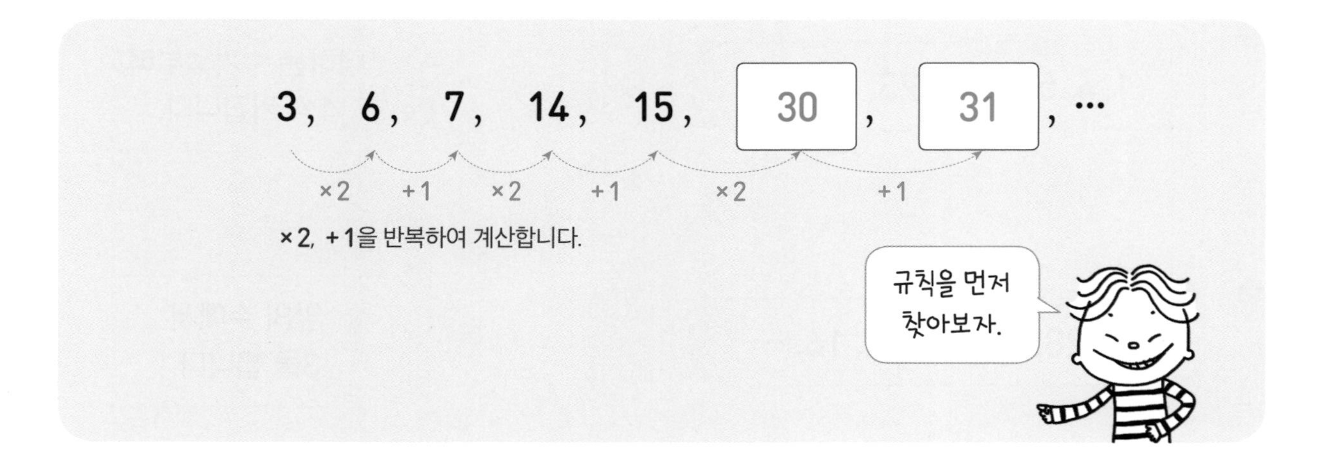

❶ 3, 10, 17, 24, 31, 38, ☐, …

❷ 45, 39, 33, 27, 21, 15, ☐, …

❸ 5, 10, 20, 40, ☐, …

❹ 1, 3, 9, 27, ☐, …

❺ 1, 4, 9, 16, 25, 36, 49, ☐, ☐, …

❻ 6, 10, 15, 19, 24, 28, 33, ☐, ☐, …

❼ 1, 3, 6, 8, 16, 18, 36, ☐, ☐, …

❽ 4, 8, 5, 10, 7, 14, 11, ☐, ☐, …

❾ 1, 3, 4, 7, 11, 18, 29, ☐, ☐, …

❿ 2, 5, 7, 12, 19, 31, ☐, ☐, …

DAY 4

수열의 빈칸

수열입니다. □ 안에 알맞은 수를 써넣으세요.

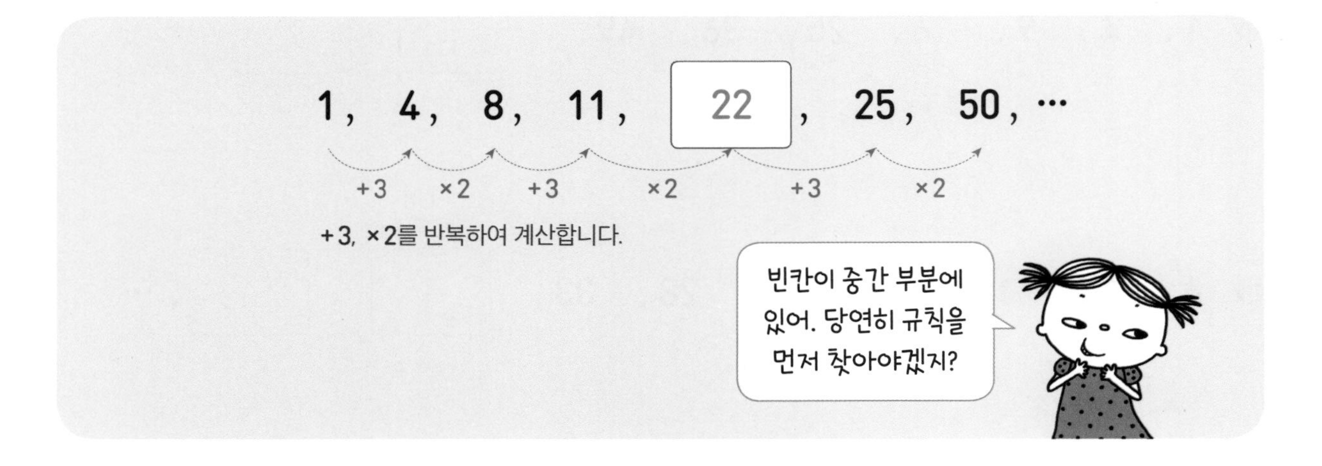

1, 4, 8, 11, 22, 25, 50, …
+3
×2
+3
×2
+3
×2
+3, ×2를 반복하여 계산합니다.
빈칸이 중간 부분에 있어. 당연히 규칙을 먼저 찾아야겠지?

❶ 2, 15, □, 41, 54, 67, 80, …

❷ 60, 51, 42, □, 24, 15, 6, …

❸ 3, 6, □, 24, 48, 96, …

❹ 7, 14, 28, □, 112, …

❺ 4, 7, 12, 15, 20, 23, ☐, 31, 36, …

❻ 8, 19, 15, 26, 22, ☐, 29, 40, 36, …

❼ 1, 3, 4, 12, 13, ☐, 40, 120, 121, …

❽ 1, 4, 8, ☐, 22, 25, 50, 53, 106, …

❾ 1, 5, 6, 11, 17, ☐, 45, 73, …

❿ 2, 7, 9, 16, ☐, 41, 66, 107, …

DAY 5

두 가지 규칙의 수열

수열입니다. □ 안에 알맞은 수를 써넣으세요.

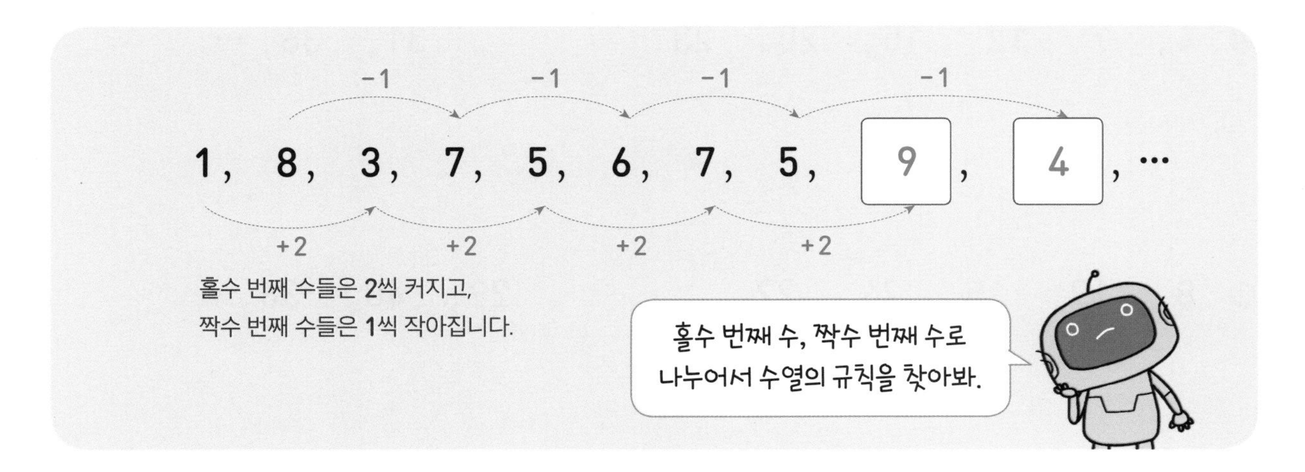

-1 -1 -1 -1
1, 8, 3, 7, 5, 6, 7, 5, 9, 4, …
+2 +2 +2 +2
홀수 번째 수들은 2씩 커지고,
짝수 번째 수들은 1씩 작아집니다.
홀수 번째 수, 짝수 번째 수로
나누어서 수열의 규칙을 찾아봐.

❶ 2, 16, 5, 14, 8, 12, 11, 10, □, □, …

❷ 1, 7, 5, 8, 9, 9, 13, 10, □, □, …

❸ 20, 9, 16, 7, 12, 5, 8, 3, □, □, …

❹ 1, 1, 3, 2, 5, 4, 7, 8, □, □, …

❺ 1, 3, 3, 6, 9, 12, 27, 24, ☐, ☐, …

❻ 15, 2, 12, 4, 9, 8, 6, 16, ☐, ☐, …

❼ 3, 5, 4, 10, 6, 20, 9, 40, ☐, ☐, …

❽ 6, 19, 13, 16, 20, ☐, 27, 10, 34, 7, …

❾ 2, 2, 4, 6, 8, 10, ☐, 14, 32, 18, …

❿ 3, 6, 5, 12, 9, ☐, 15, 48, ☐, 96, …

확인학습

✎ 수열입니다. ☐ 안에 알맞은 수를 써넣으세요.

❶ 1, 2, 4, 8, ☐, 32, 64, …

❷ 1, 4, 3, 12, 11, ☐, 43, …

❸ 1, 2, 3, 5, 8, 13, ☐, 34, …

✎ 수열입니다. ☐ 안에 알맞은 수를 써넣으세요.

❹ 1, 1, 5, 3, 9, 9, 13, 27, ☐, ☐, …

❺ 3, 4, 6, 13, 12, 22, ☐, 31, 48, ☐, …

❻ 2, 4, 3, 8, 6, ☐, 11, 32, ☐, 64, …

4
주차

패턴 완성

DAY 1 마디 패턴 42

DAY 2 이중 패턴 44

DAY 3 성냥개비 패턴 (1) 46

DAY 4 성냥개비 패턴 (2) 48

DAY 5 모양의 규칙 50

확인학습 52

마디 패턴

✏ 규칙을 찾아 빈칸에 알맞은 모양을 그리거나 색칠해 보세요.

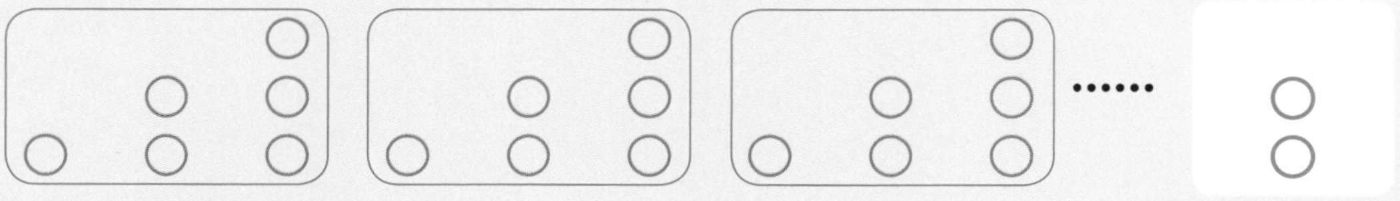

20번째

3번째 모양까지 하나의 마디를 이룹니다.

3×6=18이므로 18번째까지 마디가 6번 반복하고 19번째부터 마디가 시작합니다.

따라서 19번째 모양은 마디의 첫 번째 모양과 같고, 20번째 모양은 마디의 두 번째 모양과 같습니다.

3번째, 6번째, 9번째, ⋯⋯
모양이 같아.

❶ ⋯⋯

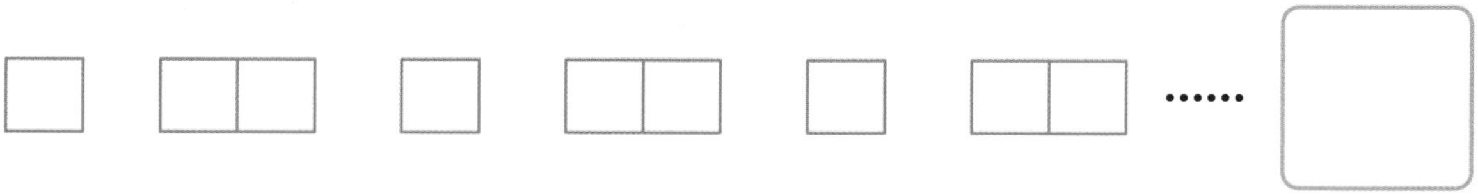

19번째

❷ ⋯⋯

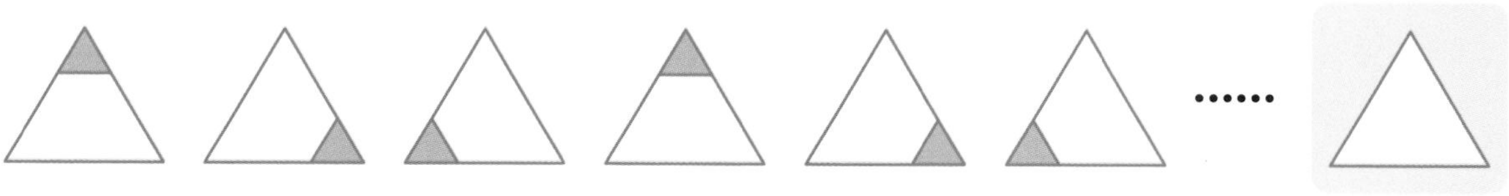

16번째

❸ ⋯⋯

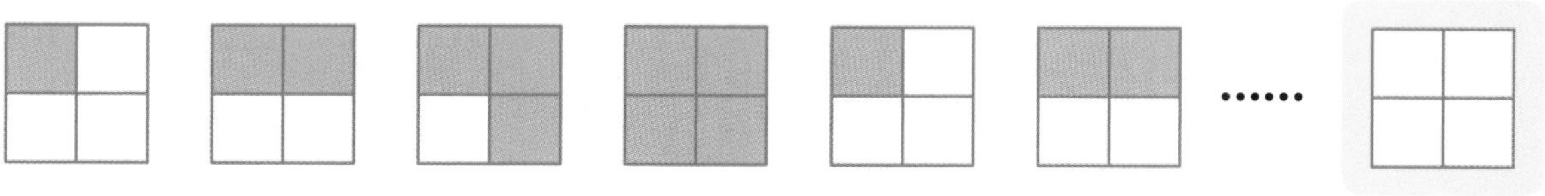

22 번째

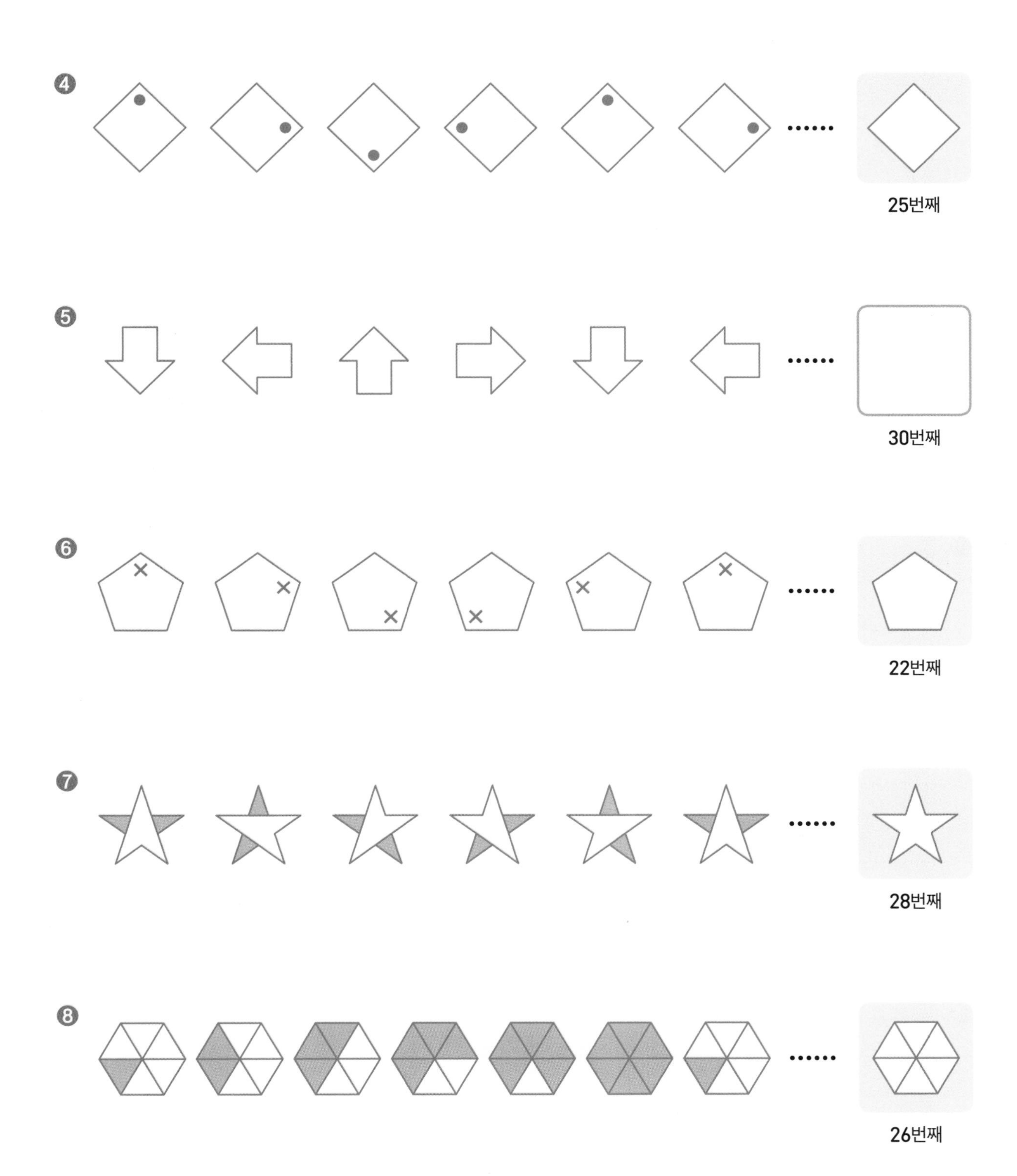
❹
25번째
❺
30번째
❻
22번째
❼
28번째
❽
26번째

이중 패턴

규칙을 찾아 빈칸에 알맞은 모양을 그려 보세요.

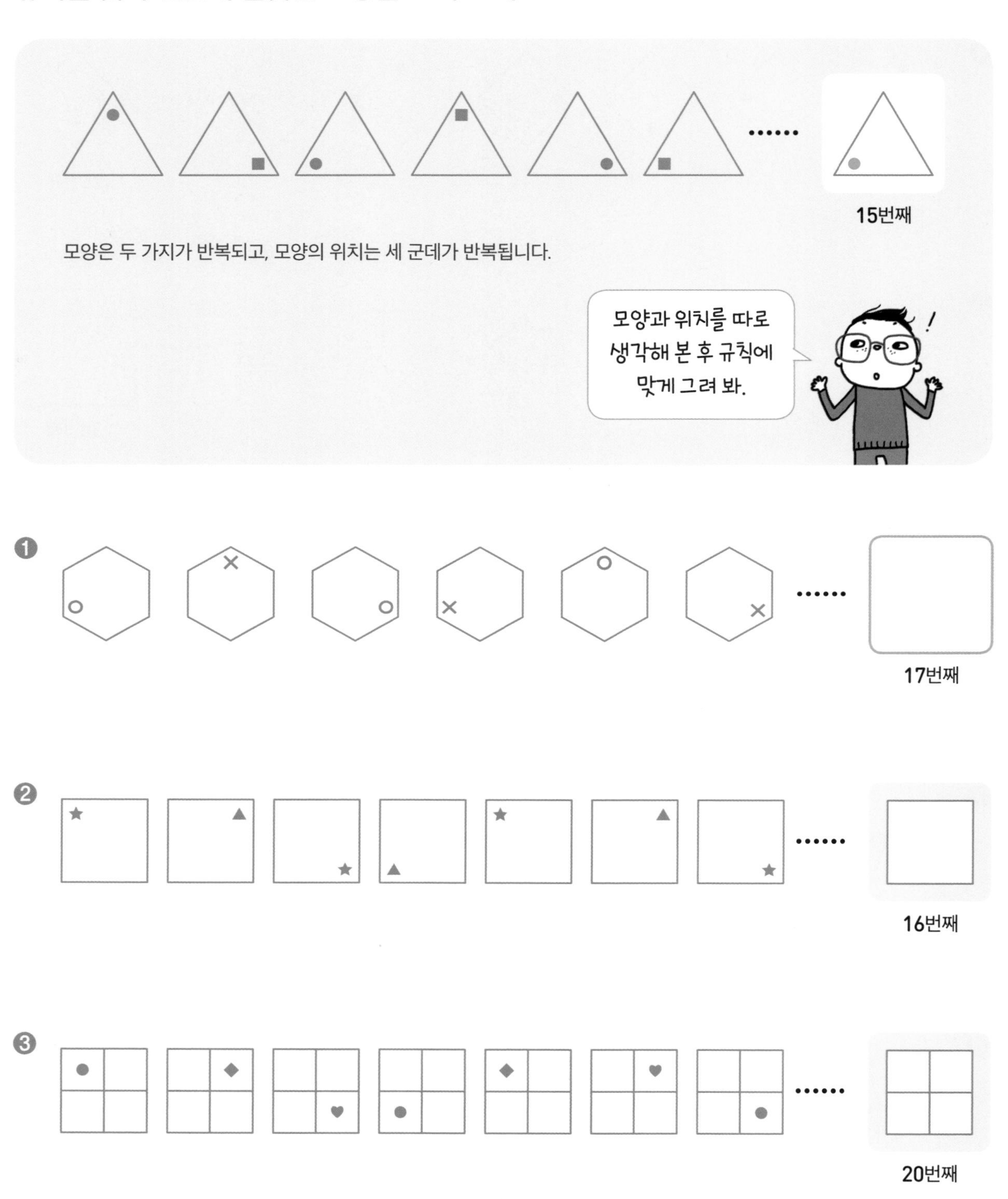

15번째
모양은 두 가지가 반복되고, 모양의 위치는 세 군데가 반복됩니다.
모양과 위치를 따로 생각해 본 후 규칙에 맞게 그려 봐.
!
❶
17번째
❷
16번째
❸
20번째

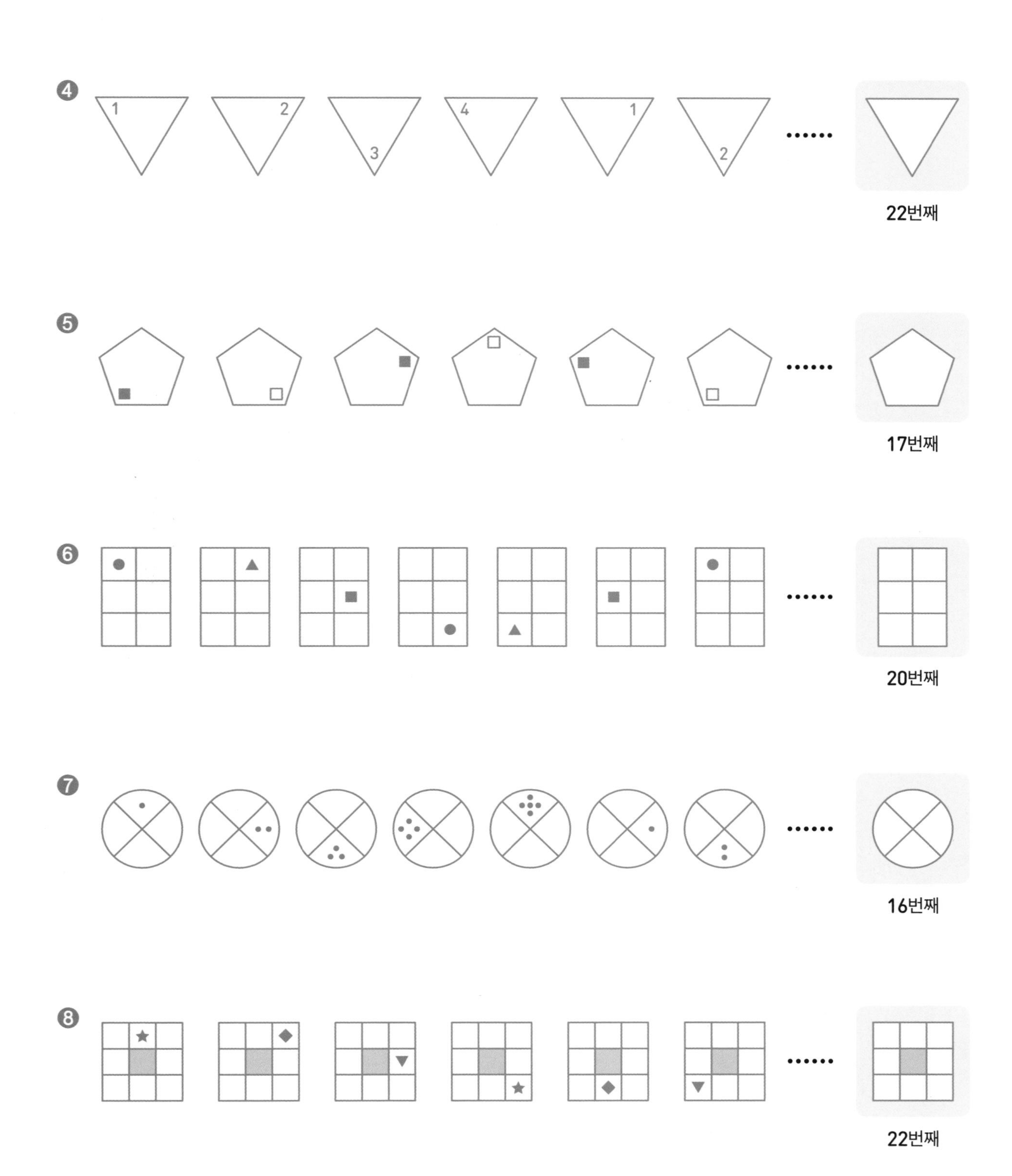
④
1
2
3
4
1
2
22번째
⑤
17번째
⑥
20번째
⑦
16번째
⑧
22번째

DAY 3 성냥개비 패턴 (1)

성냥개비로 모양을 만들었습니다. 규칙에 맞게 모양을 만들 때, 7번째 모양에 필요한 성냥개비의 개수를 구해 보세요.

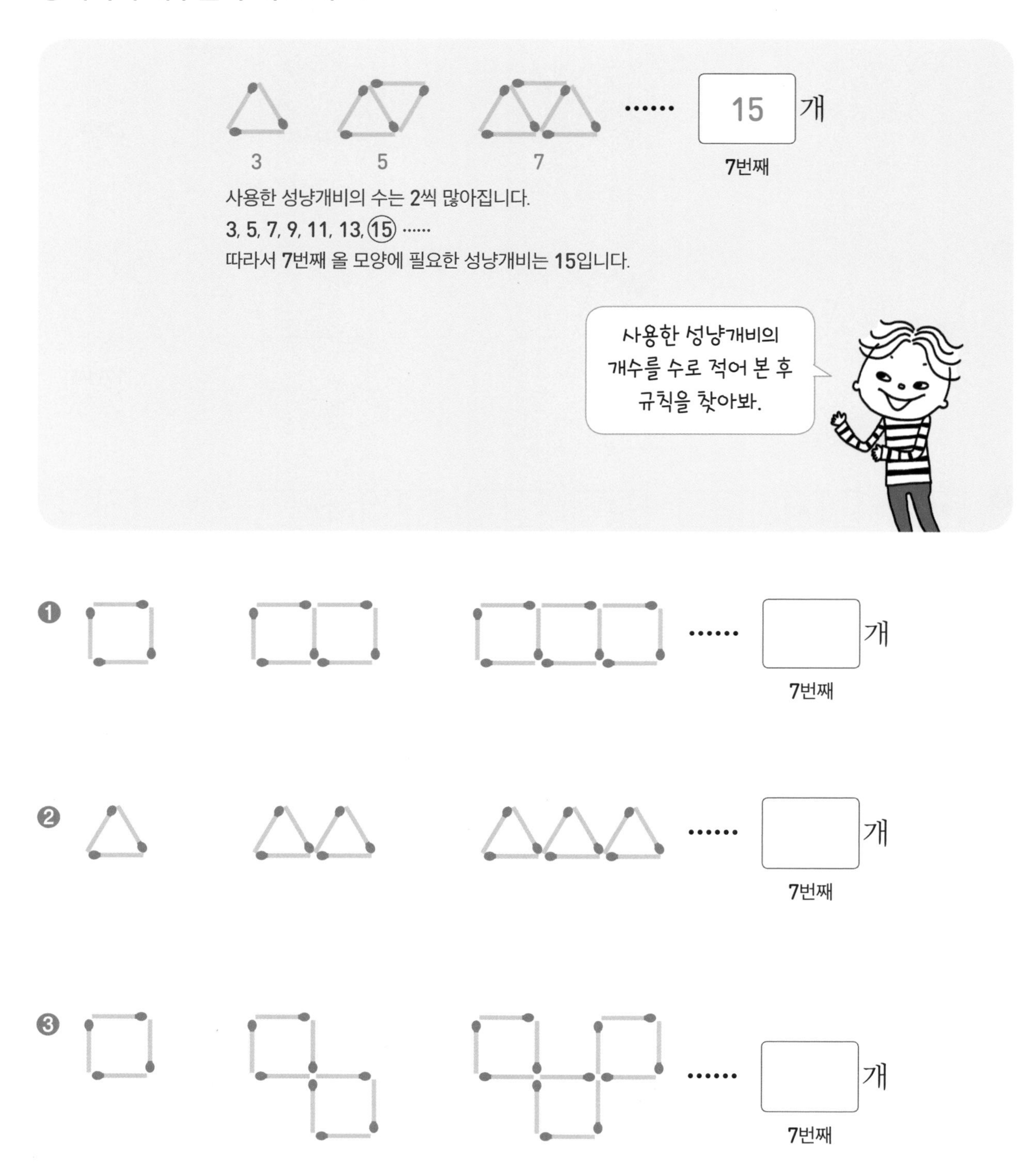

3
5
7
15 개
7번째
사용한 성냥개비의 수는 2씩 많아집니다.
3, 5, 7, 9, 11, 13, ⑮ ······
따라서 7번째 올 모양에 필요한 성냥개비는 15입니다.
사용한 성냥개비의 개수를 수로 적어 본 후 규칙을 찾아봐.
❶ ······ 개
7번째
❷ ······ 개
7번째
❸ ······ 개
7번째

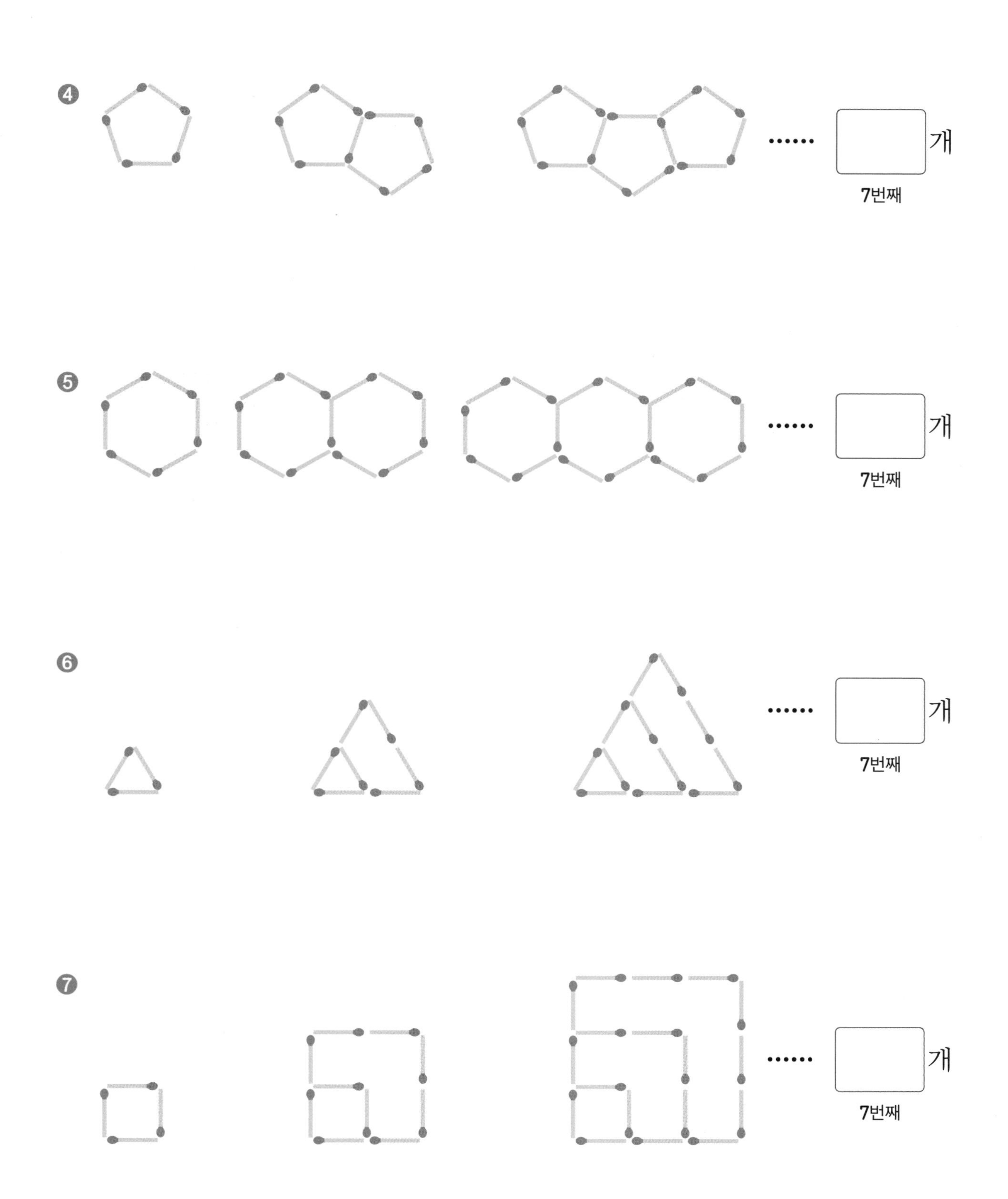
❹
개
7번째
❺
개
7번째
❻
개
7번째
❼
개
7번째

DAY 4 성냥개비 패턴 (2)

성냥개비로 모양을 만들었습니다. 규칙에 맞게 모양을 만들 때, 빈칸에 필요한 성냥개비의 개수를 구해 보세요.

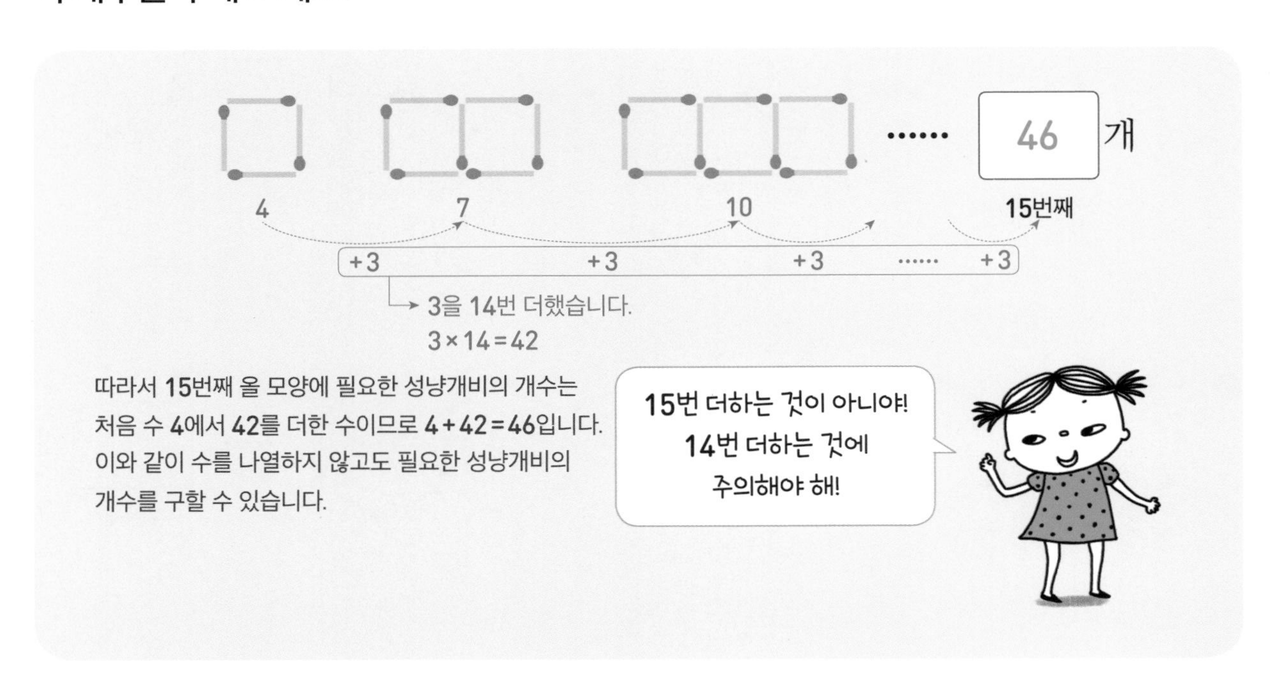

46 개
4
7
10
15번째
+3
+3
+3
······
+3
3을 14번 더했습니다.
3 × 14 = 42
따라서 15번째 올 모양에 필요한 성냥개비의 개수는 처음 수 4에서 42를 더한 수이므로 4 + 42 = 46입니다. 이와 같이 수를 나열하지 않고도 필요한 성냥개비의 개수를 구할 수 있습니다.
15번 더하는 것이 아니야! 14번 더하는 것에 주의해야 해!

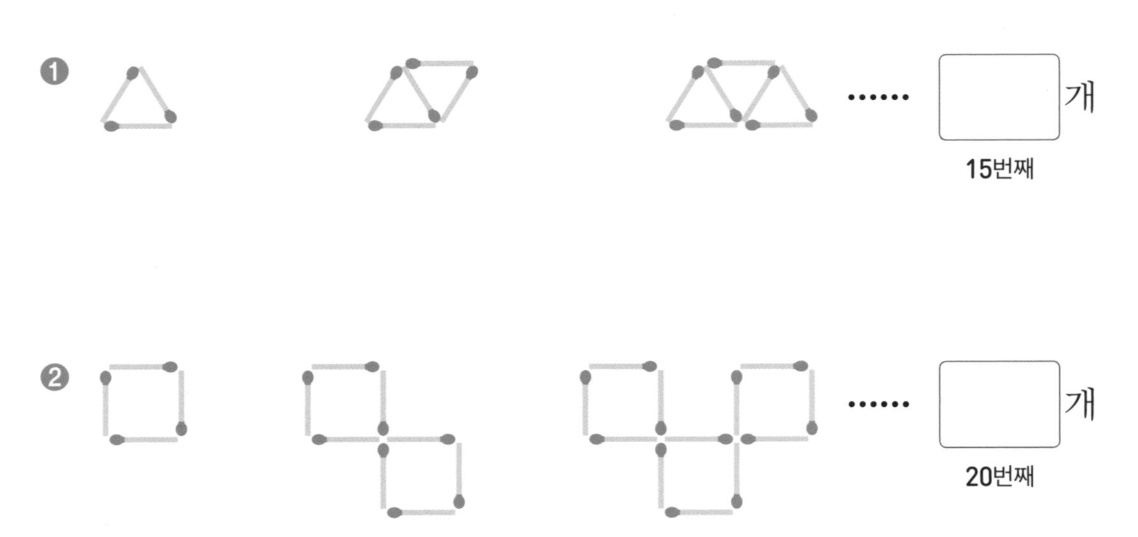

❸ …… □개

20번째

❹ …… □개

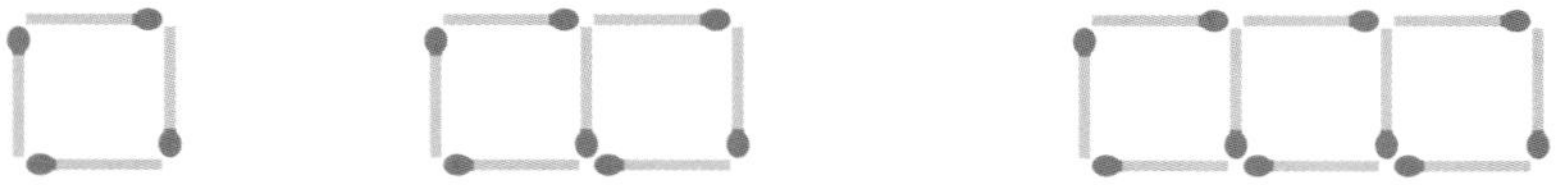

22번째

❺ …… □개

24번째

❻ …… □개

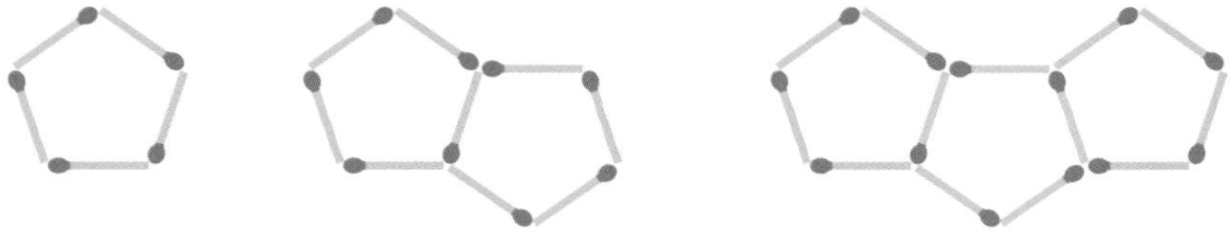

15번째

❼ …… □개

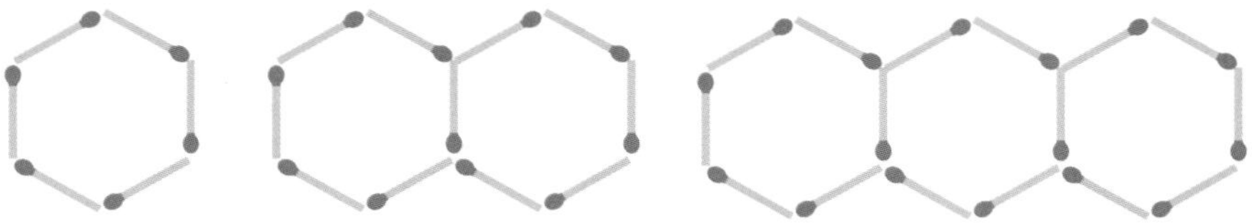

15번째

모양의 규칙

규칙에 맞게 모양을 만들었습니다. 물음에 답하세요.

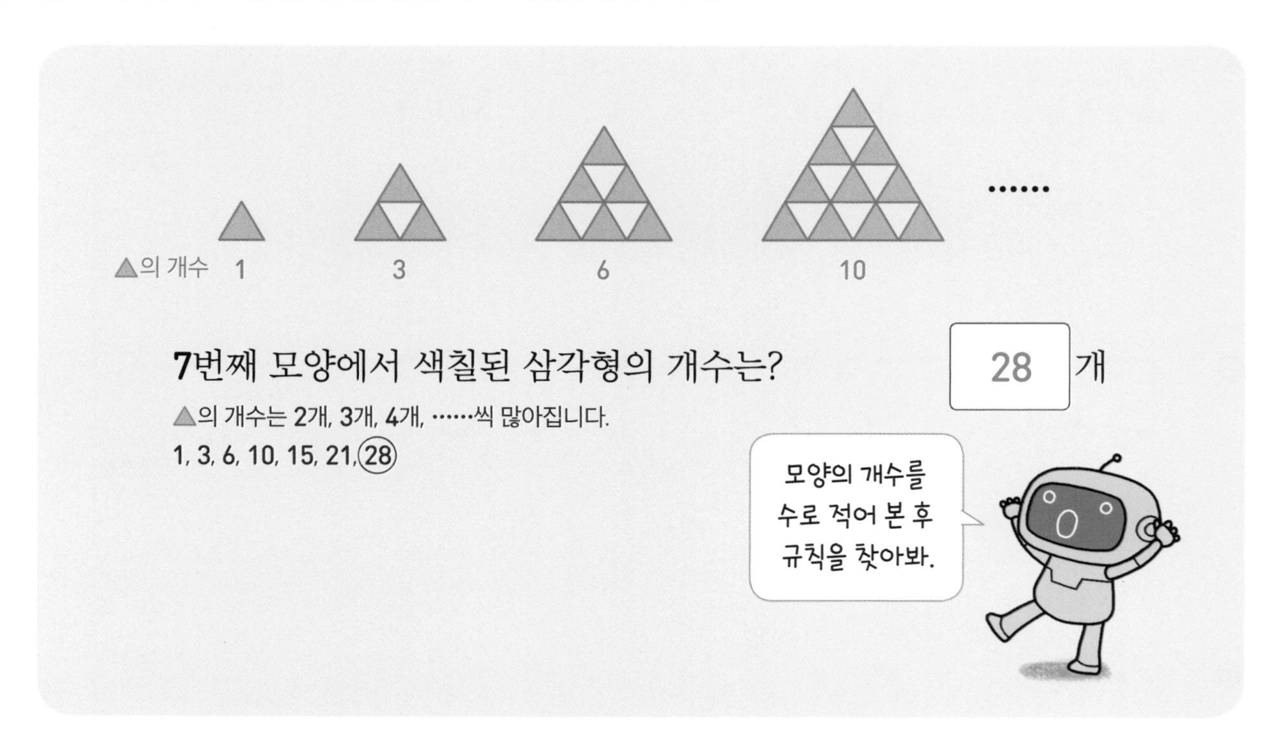

△의 개수 1 3 6 10
모양의 개수를 수로 적어 본 후 규칙을 찾아봐.

7번째 모양에서 색칠된 삼각형의 개수는? 28 개

△의 개수는 2개, 3개, 4개, ……씩 많아집니다.

1, 3, 6, 10, 15, 21, (28)

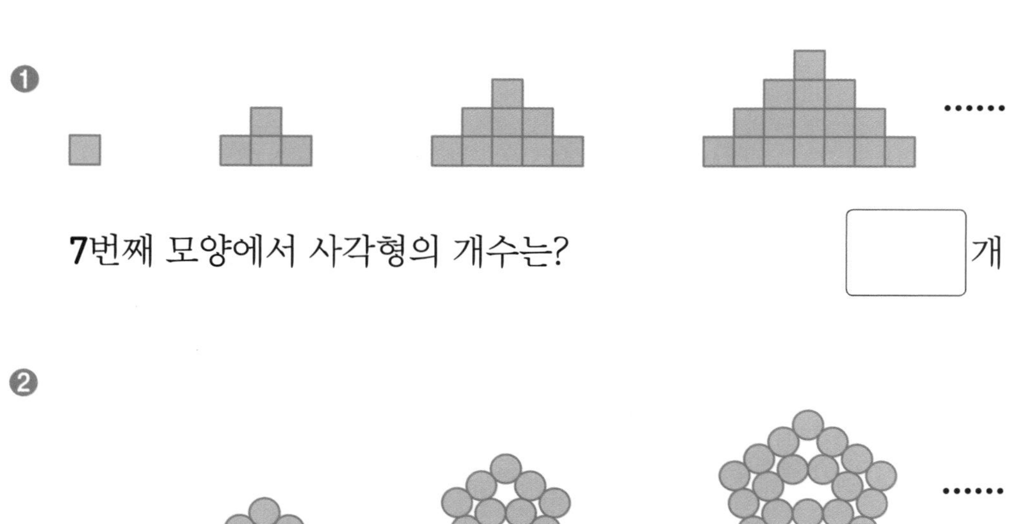

❶

7번째 모양에서 사각형의 개수는? 개

❷

7번째 모양에서 원의 개수는? 개

도형 안에 모양은 같지만 크기가 작은 도형을 계속 그렸습니다. 물음에 답하세요.

❸

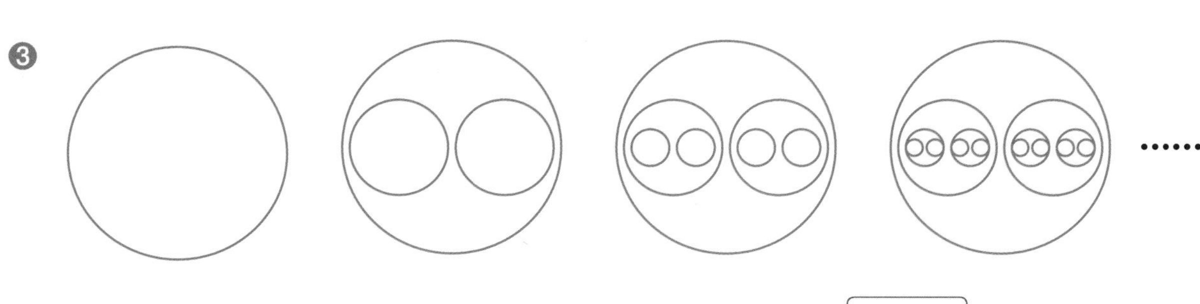

7번째 모양에서 가장 작은 원의 개수는?  개

❹

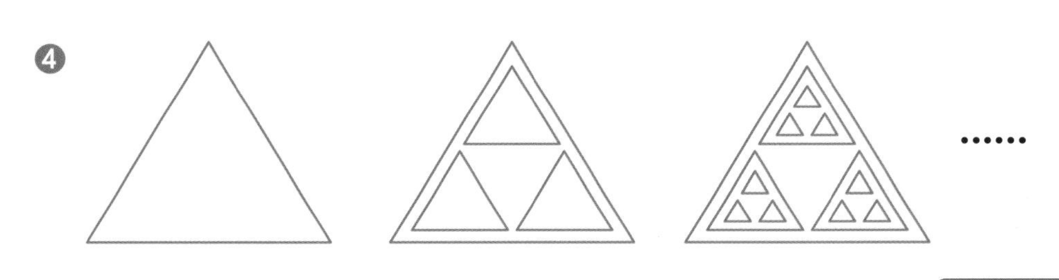

5번째 모양에서 가장 작은 삼각형의 개수는?  개

❺

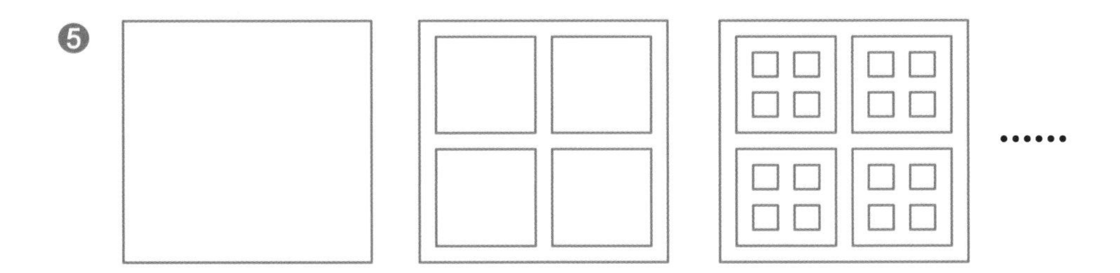

4번째 모양에서 가장 작은 사각형의 개수는?  개

확인학습

성냥개비로 모양을 만들었습니다. 규칙에 맞게 모양을 만들 때, 빈칸에 필요한 성냥개비의 개수를 구해 보세요.

❶

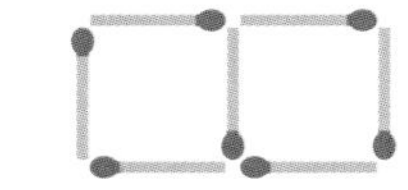

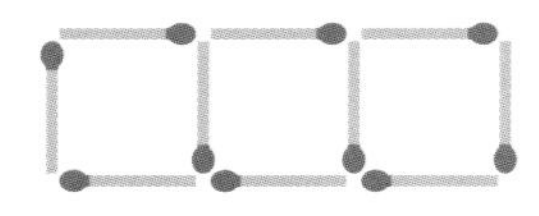

...... □개

25번째

❷

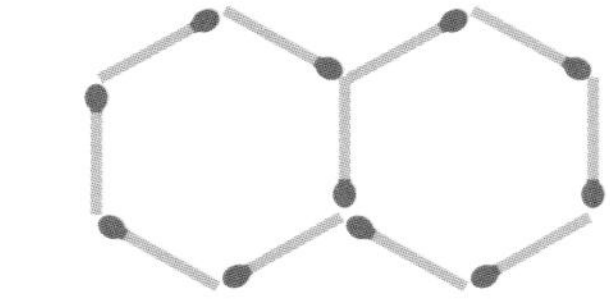

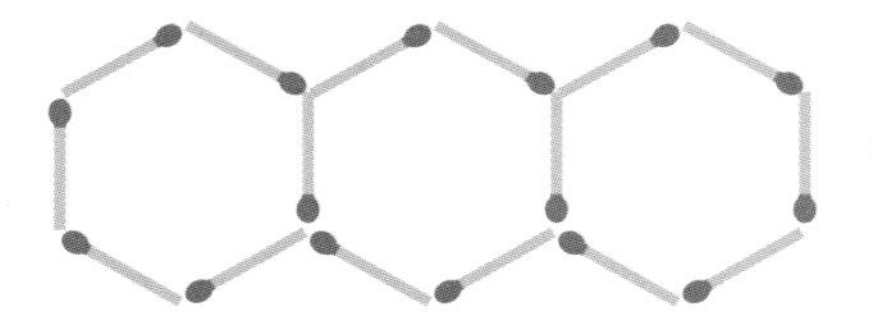

개

10번째

도형 안에 모양은 같지만 크기가 작은 도형을 계속 그렸습니다. 6번째 모양에서 가장 작은 사각형의 개수를 구하세요.

❸

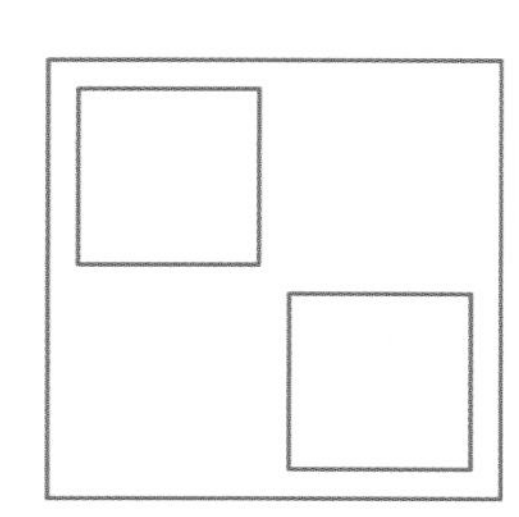

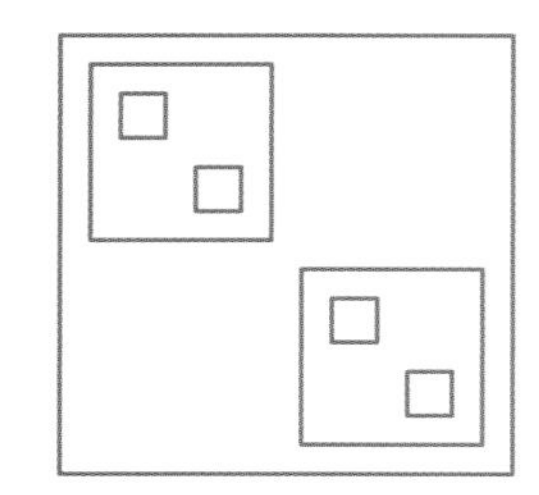

...... □개

마무리 평가

마무리 평가는 앞에서 공부한 4주차의 유형이 다음과 같은 순서로 나와요.
틀린 문제는 몇 주차인지 확인하여 반드시 다시 한 번 학습하도록 해요.

1주차	3주차
2주차	4주차

TEST 1 마무리 평가

흰색 바둑돌과 검은색 바둑돌을 이용하여 만든 패턴입니다. 마디를 찾아 ◯로 묶어 보고 패턴에 맞도록 빈칸에 바둑돌을 그려 보세요.

❶

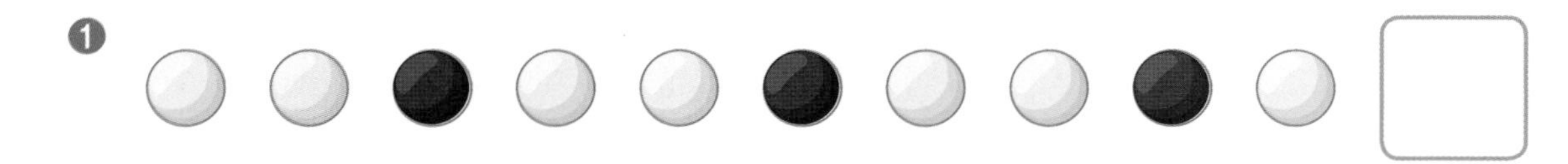

❷

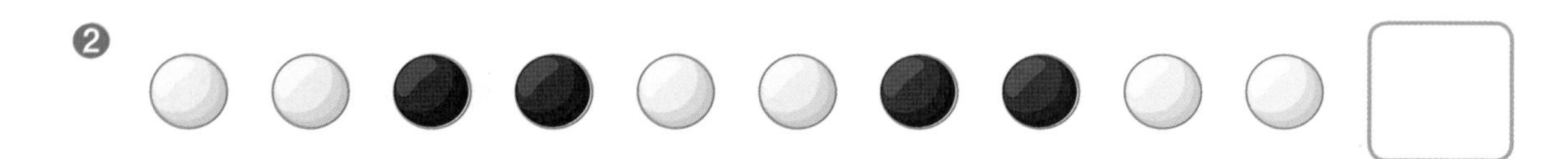

❸

❹

규칙을 찾아 마지막 모양을 알맞게 완성하세요.

❺

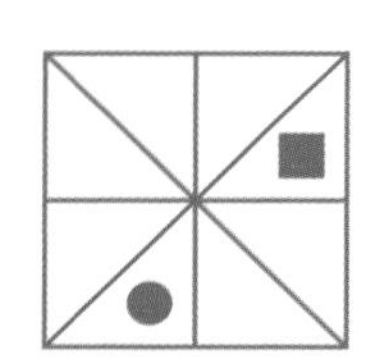
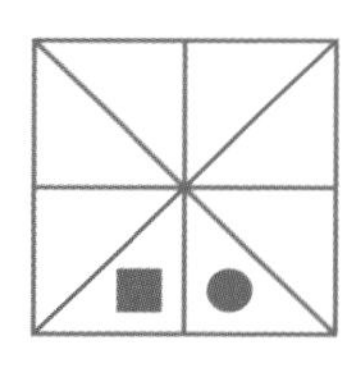
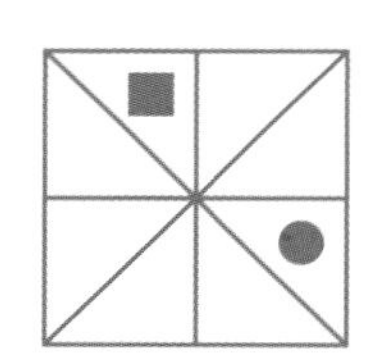
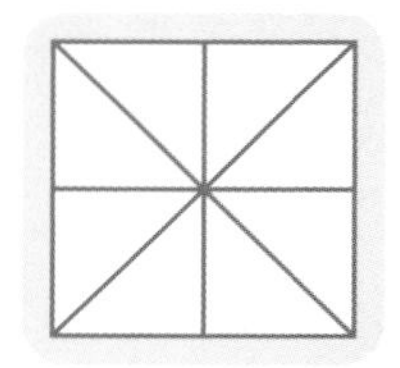

❻

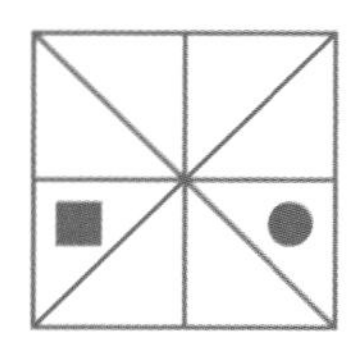
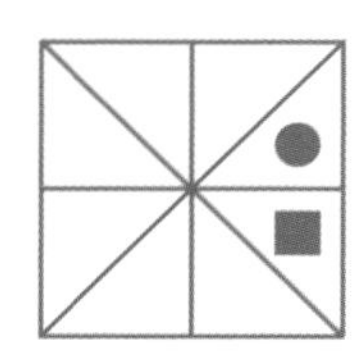
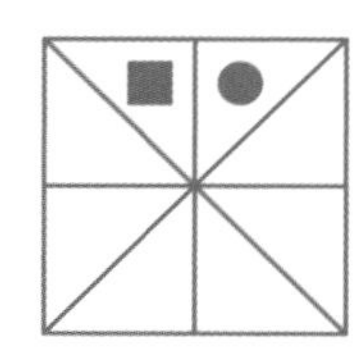
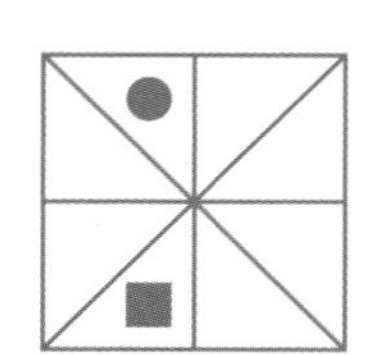
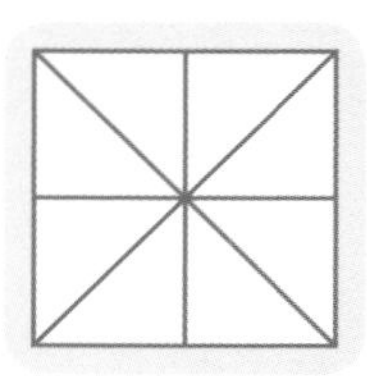

◆ 수열입니다. □ 안에 알맞은 수를 써넣으세요.

⑦ 3, 6, 12, 24, 48, □, …

⑧ 2, 6, 4, 12, 10, 30, 28, □, □, …

⑨ 1, 3, 4, 7, 11, 18, □, □, …

◆ 규칙을 찾아 빈칸에 알맞은 모양을 그리거나 색칠해 보세요.

⑩

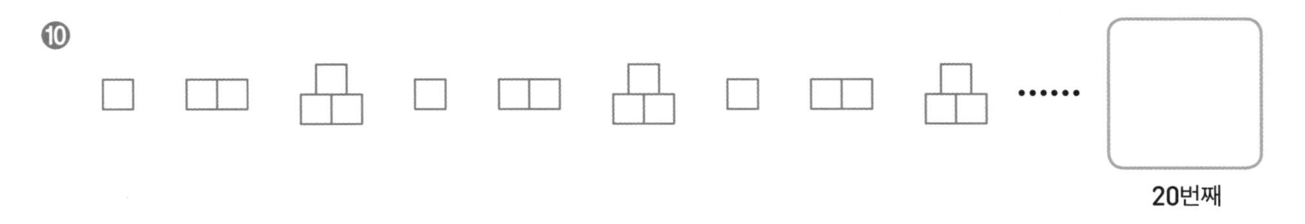

⑪

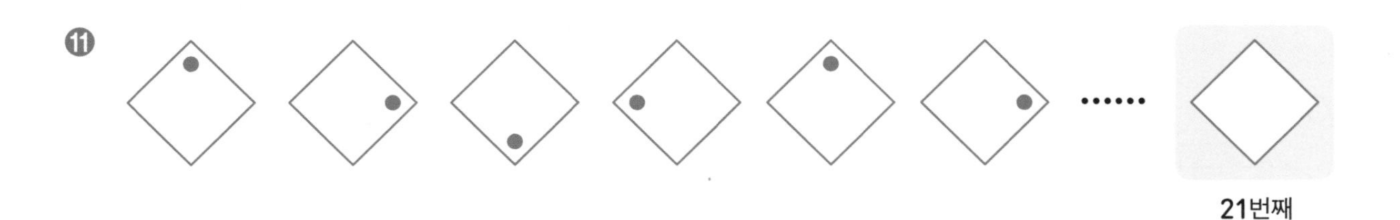

TEST 2

마무리 평가

패턴에 맞도록 빈칸에 바둑돌을 그려 보세요.

❶

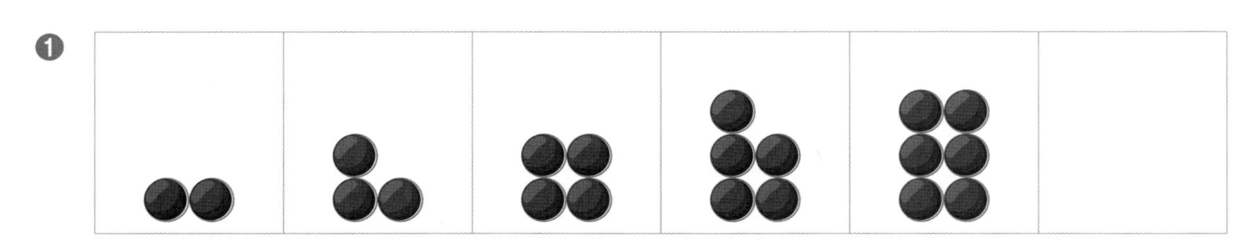

❷

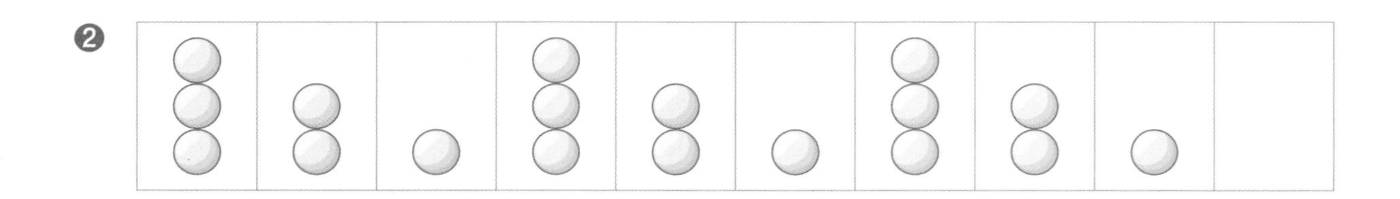

❸

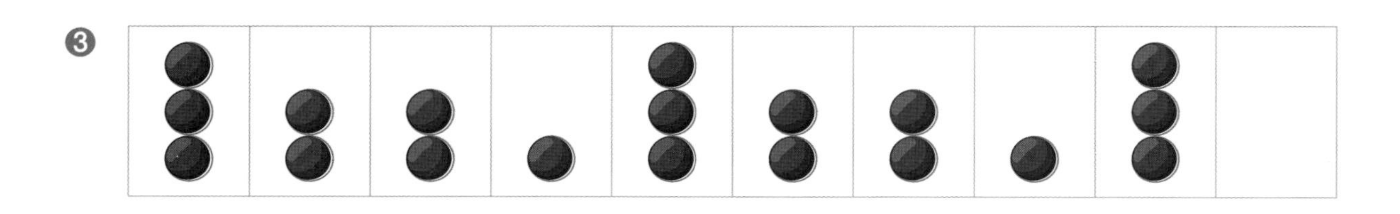

규칙을 찾아 빈 곳을 알맞게 색칠하세요.

❹

❺

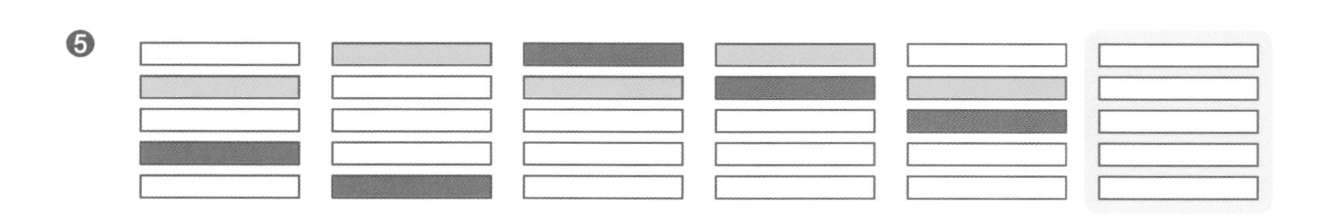

✤ 수열입니다. ☐ 안에 알맞은 수를 써넣으세요.

❻ 3, 15, 27, ☐, 51, 63, 75, …

❼ 5, 10, 20, ☐, 80, …

❽ 3, 5, 10, 12, ☐, 26, 52, 54, …

✤ 규칙을 찾아 빈칸에 알맞은 모양을 그려 보세요.

❾

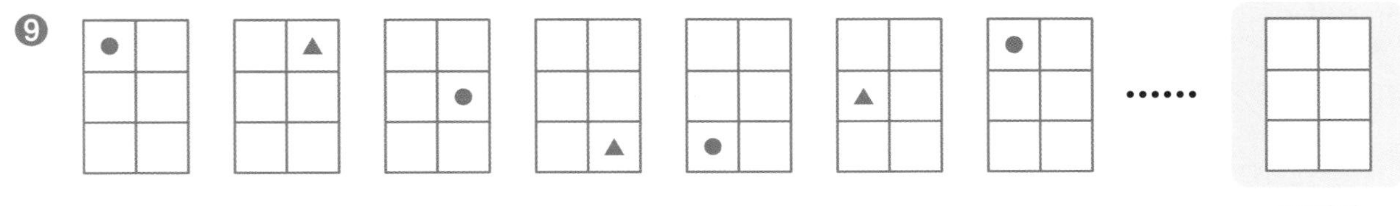

23번째

❿

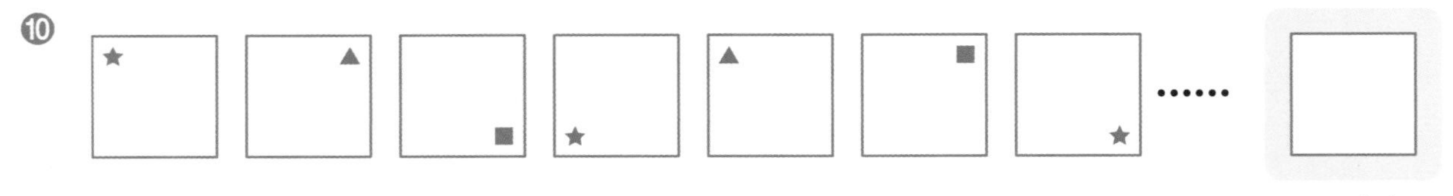

20번째

⓫

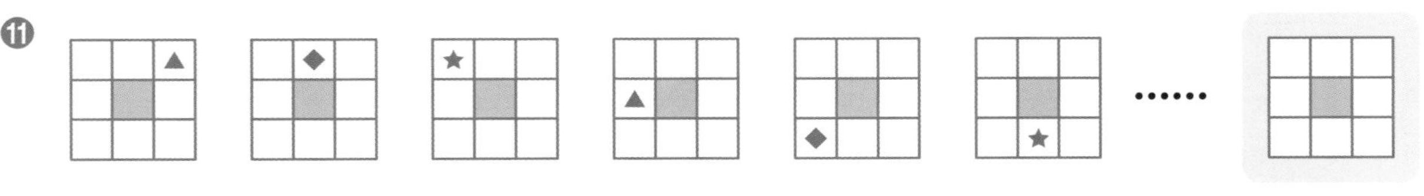

26번째

TEST 3 마무리 평가

✤ 패턴에 맞도록 빈칸에 바둑돌을 그려 보세요.

❶

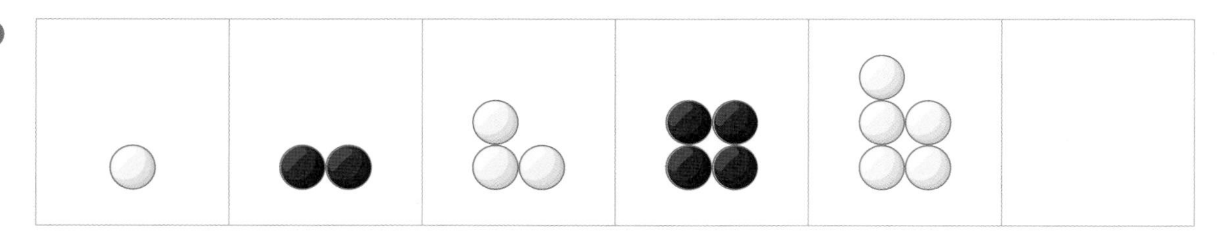

❷

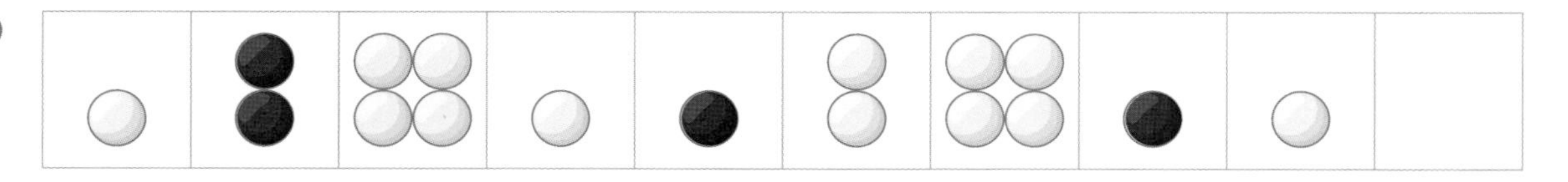

✤ 규칙을 찾아 빈 곳을 알맞게 색칠하세요.

❸

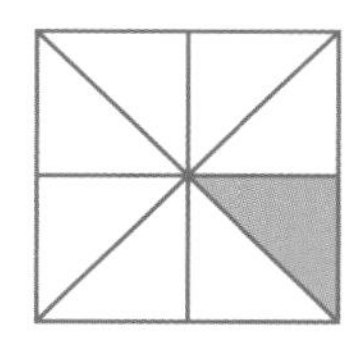 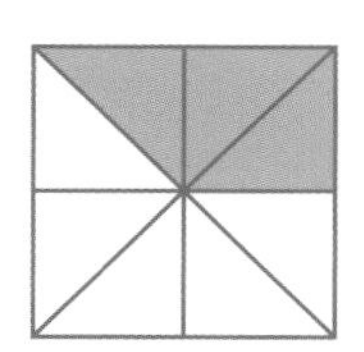 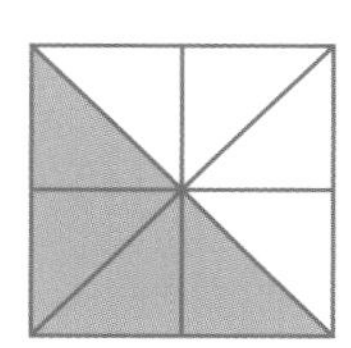 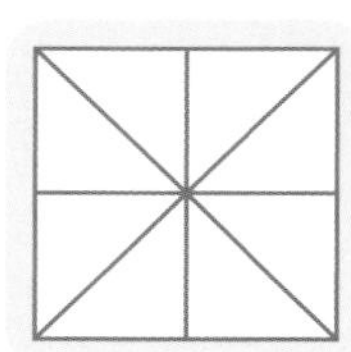

❹

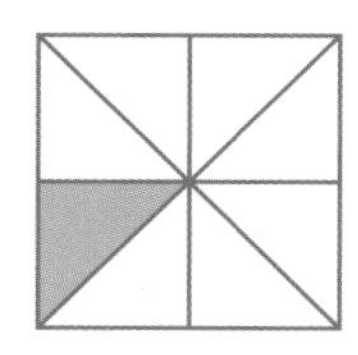 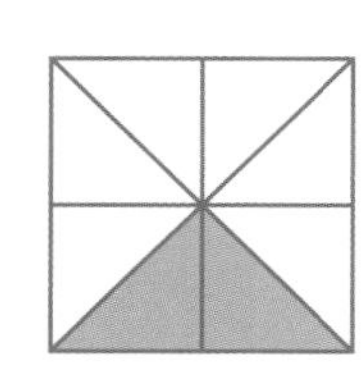 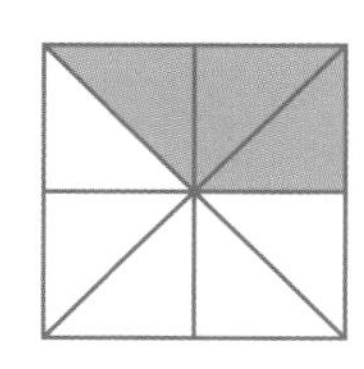 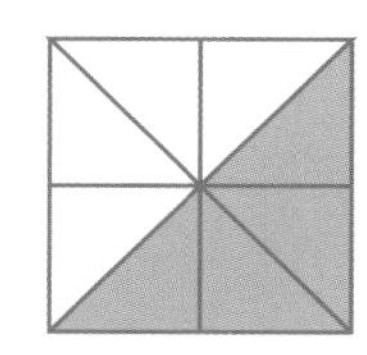 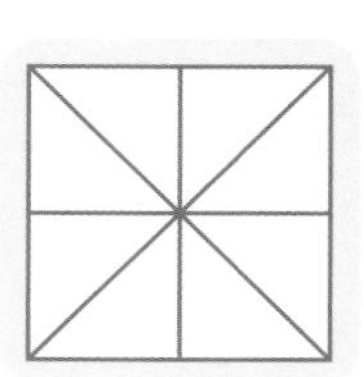

❺

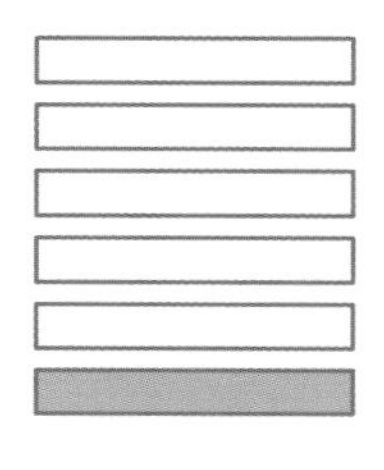 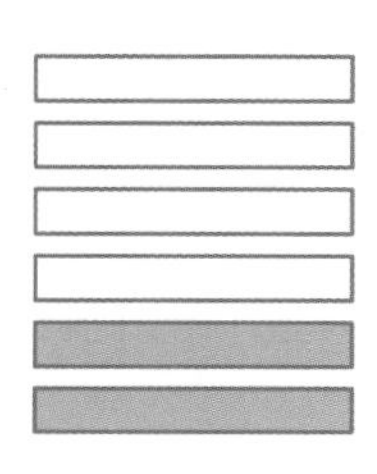  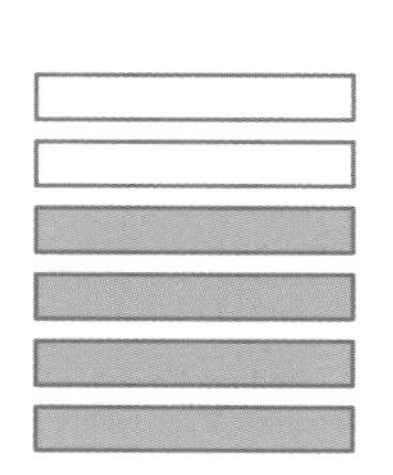 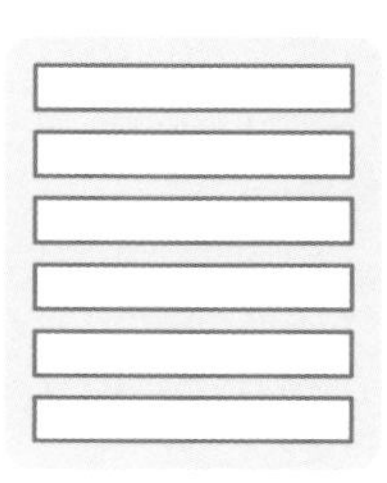

✤ 수열입니다. □ 안에 알맞은 수를 써넣으세요.

⑦ 3, 2, 6, 6, □, 18, 24, □, 48, …

⑧ 3, 1, 4, 2, 7, □, 12, 8, □, 16, …

✤ 성냥개비로 모양을 만들었습니다. 규칙에 맞게 모양을 만들 때, 8번째 모양에 필요한 성냥개비의 개수를 구해 보세요.

⑨

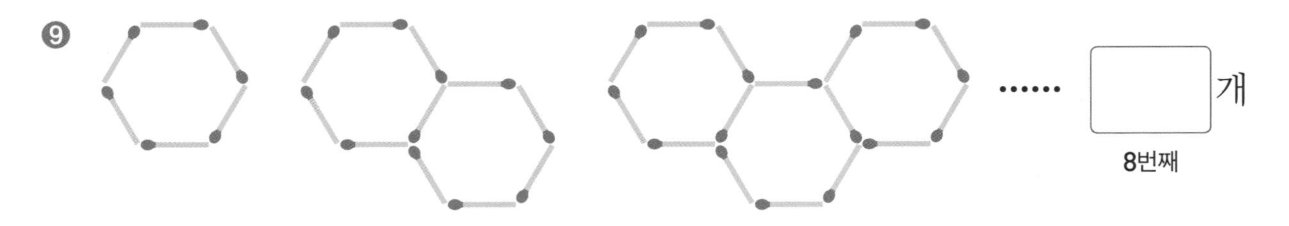

...... □개

8번째

⑩

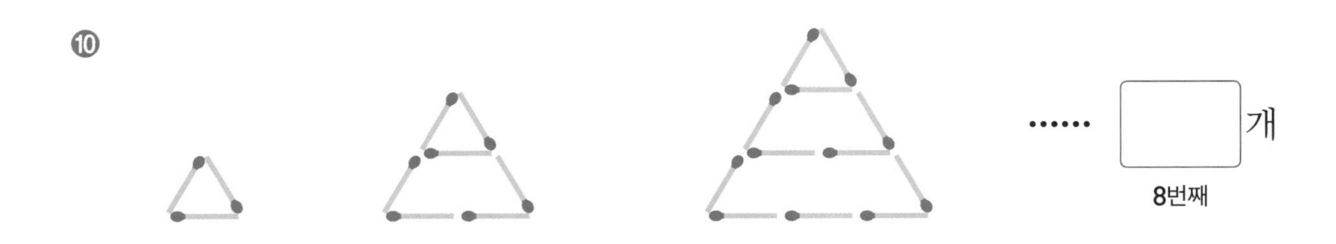

...... □개

8번째

TEST 4 마무리 평가

패턴에 맞도록 빈칸에 알맞은 모양을 그려 보세요.

❶

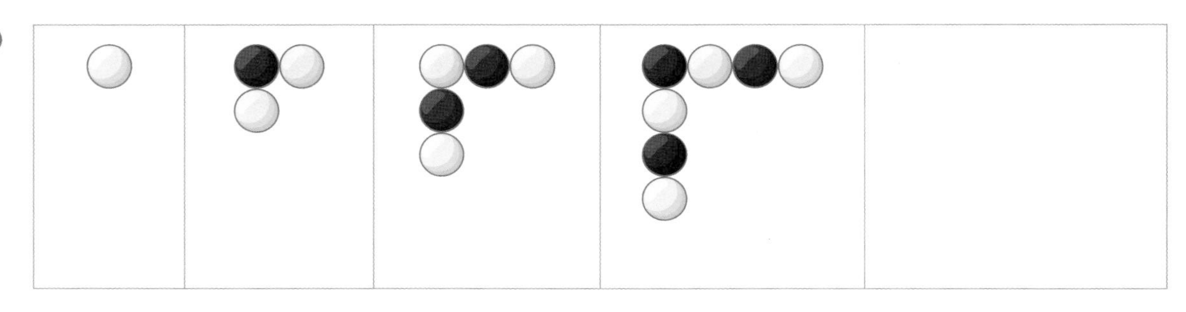

❷

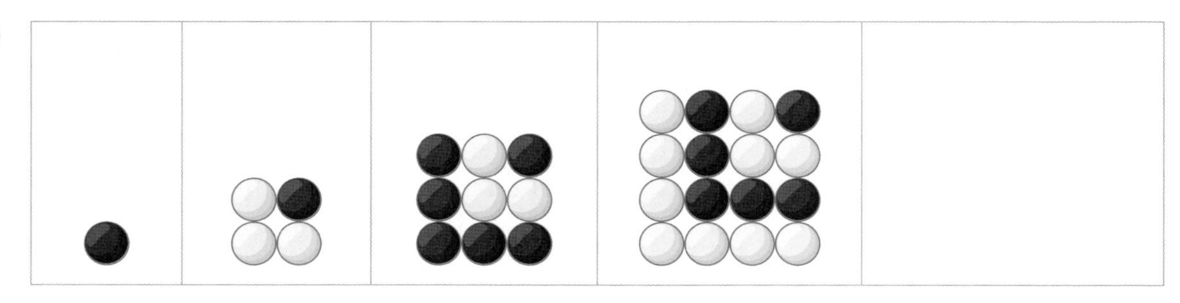

규칙을 찾아 빈 곳을 알맞게 색칠하세요.

❸

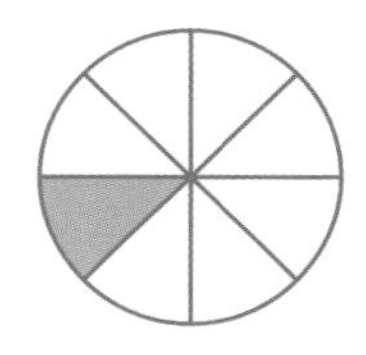 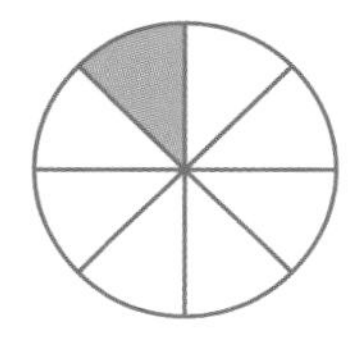 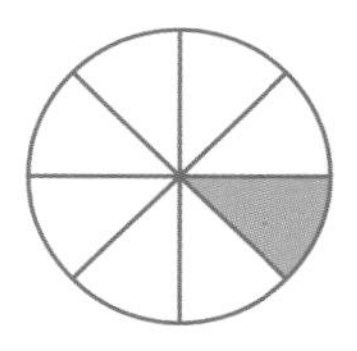 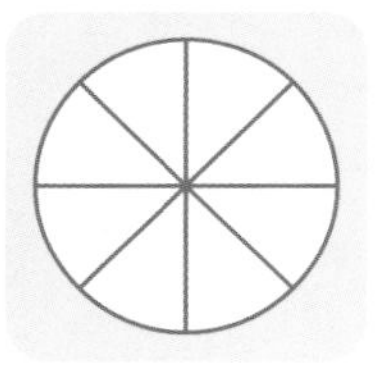 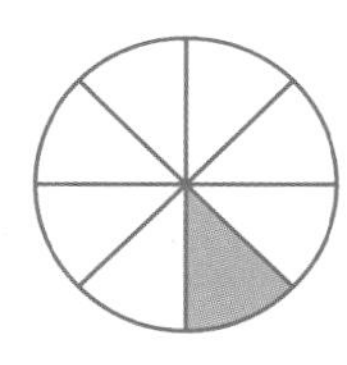 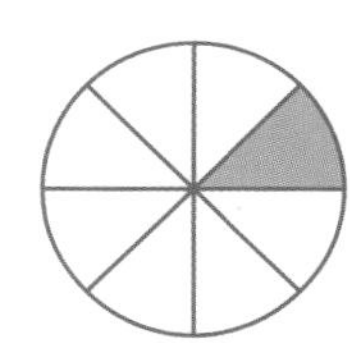

❹

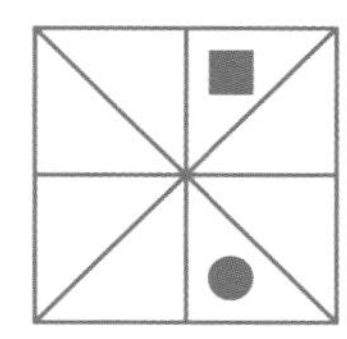 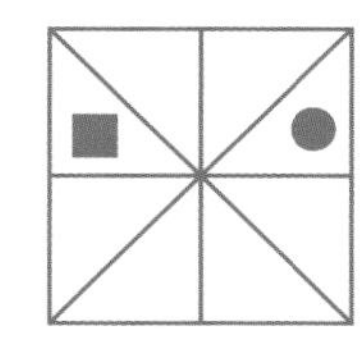 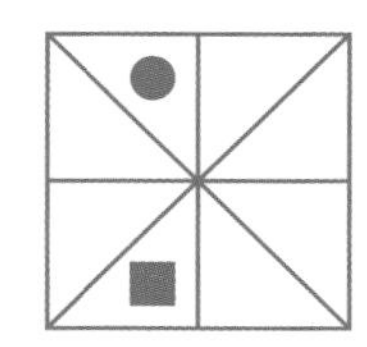 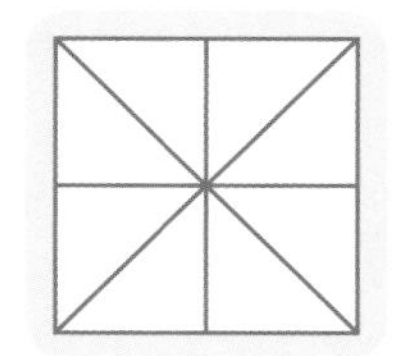 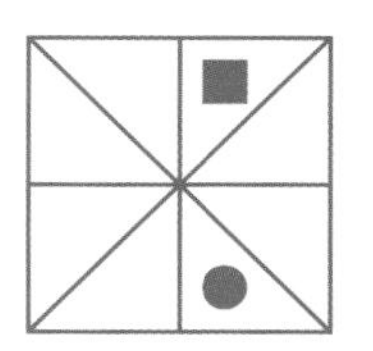

❺

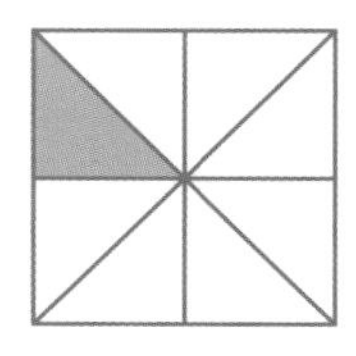 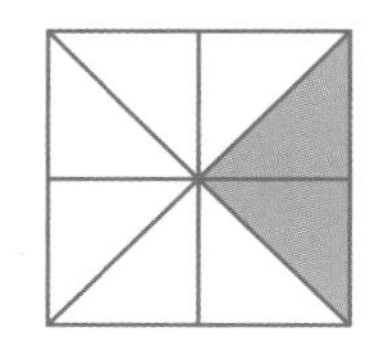 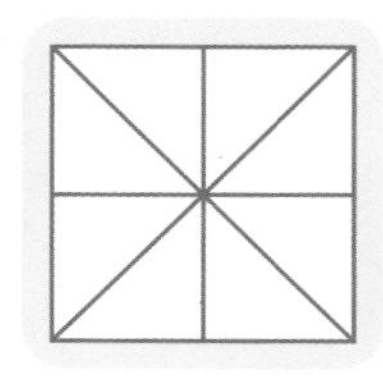 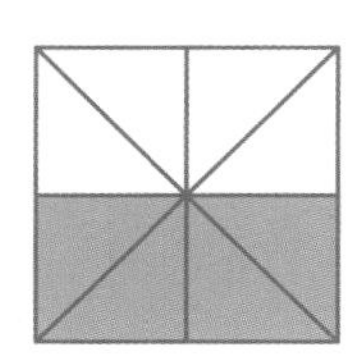 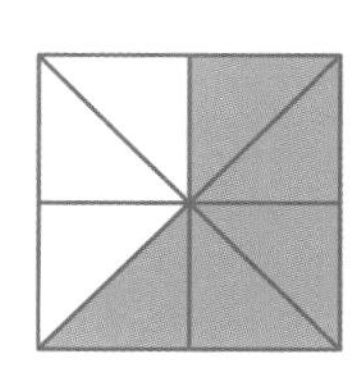 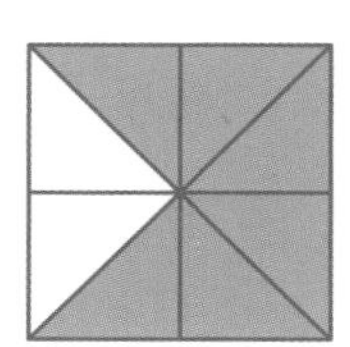

◆ □ 안에 알맞은 수를 써넣고, 맞는 것에 ○표 하세요.

❻ 6, 13, 20, □, 34, 41, ⋯

➡ 앞의 수에 □씩 (더합니다 , 뺍니다 , 곱합니다).

❼ 3, 6, □, 24, 48, 96, ⋯

➡ 앞의 수에 □씩 (더합니다 , 뺍니다 , 곱합니다).

◆ 성냥개비로 모양을 만들었습니다. 규칙에 맞게 모양을 만들 때, 17번째에 필요한 성냥개비의 개수를 구해 보세요.

❽

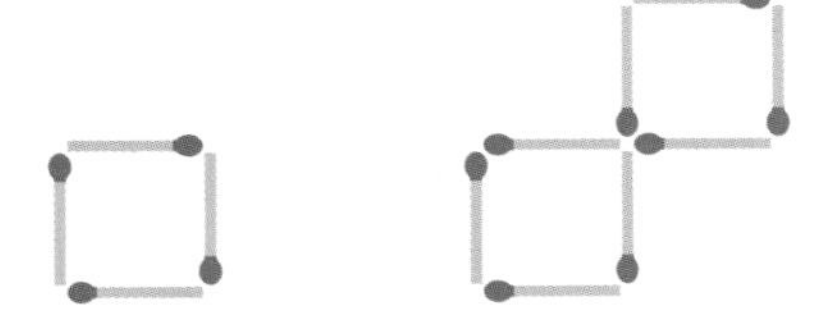

⋯⋯ □개

17번째

❾

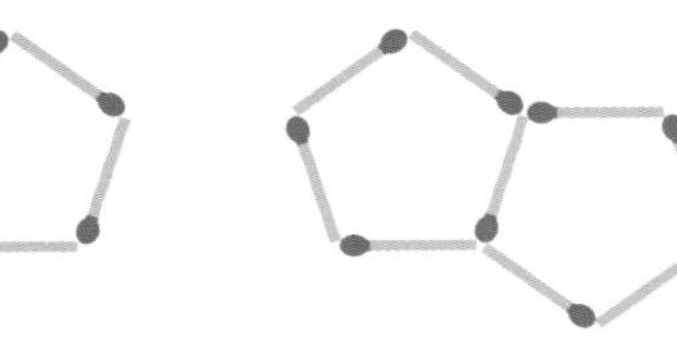

⋯⋯ □개

17번째

TEST 5 마무리 평가

패턴에 맞도록 빈칸에 바둑돌을 그려 보세요.

❶

   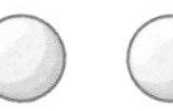      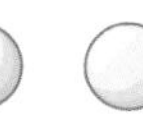

❷

❸

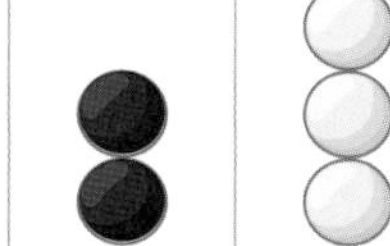 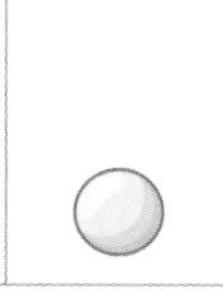   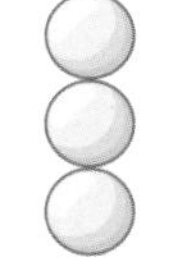  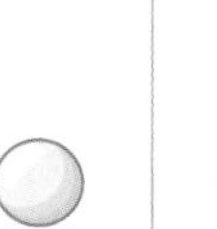 

규칙을 찾아 마지막 모양을 알맞게 완성하세요.

❹

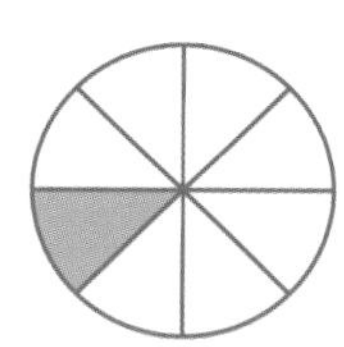 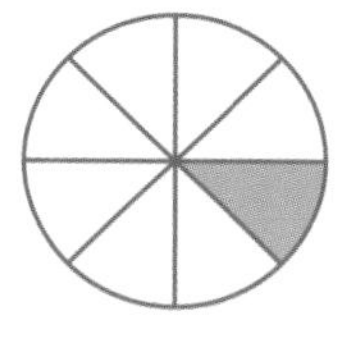 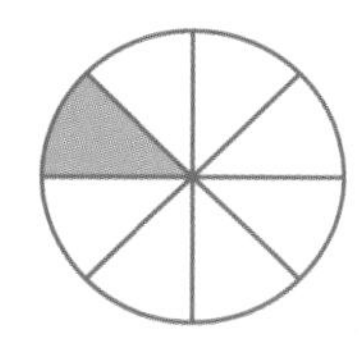 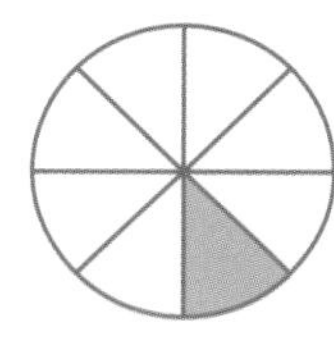 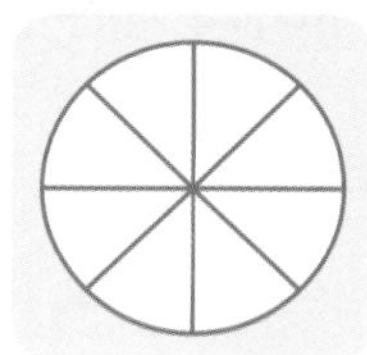

❺

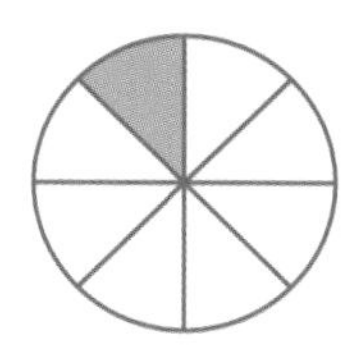 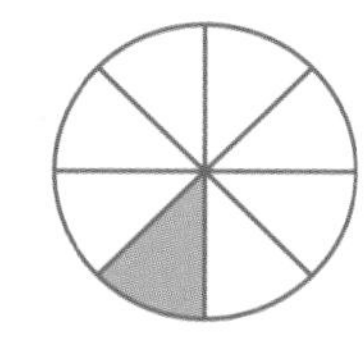 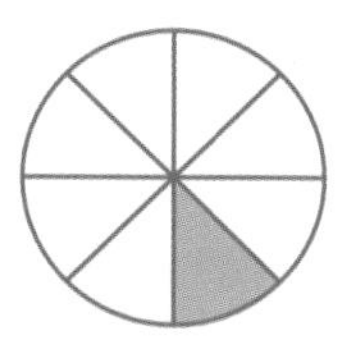 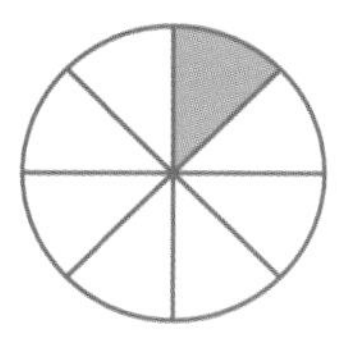 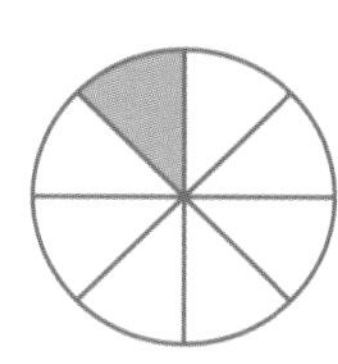 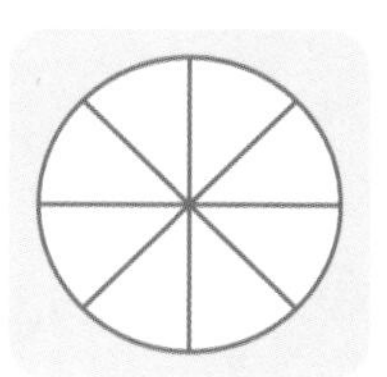

❻

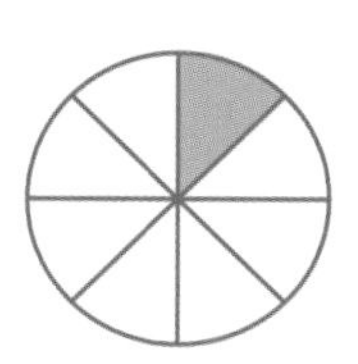 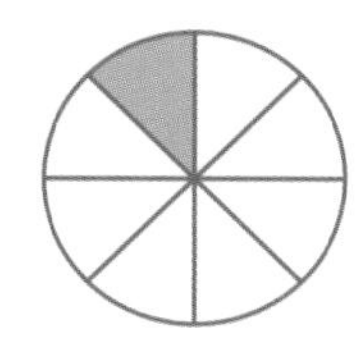 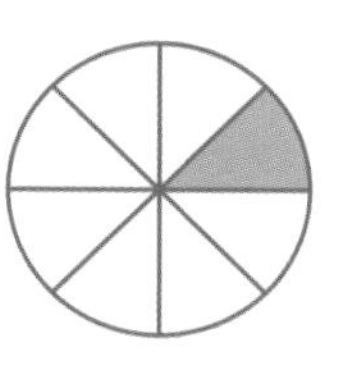 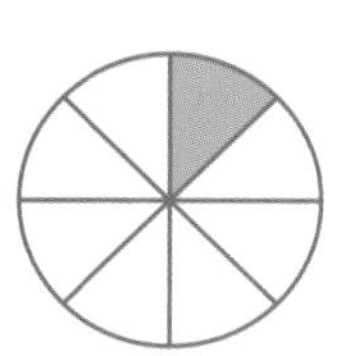 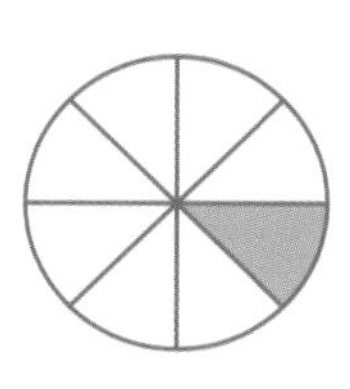 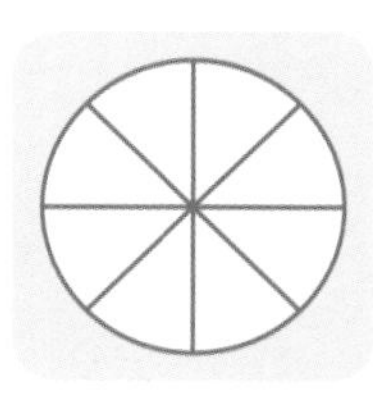

제한 시간	15분
맞은 개수	/ 11개

✤ 수열의 규칙을 찾아 선으로 이어 보세요.

❼ 1, 2, 3, 5, 8, 13, 21, …

❽ 6, 12, 24, 48, 96, …

❾ 23, 22, 19, 14, 7, …

- 앞의 수에 2를 곱합니다.
- 빼는 수가 1부터 2씩 커집니다.
- 바로 앞의 두 수의 합입니다.

✤ 규칙에 맞게 모양을 만들었습니다. 8번째 모양에서 원의 개수를 구하세요.

❿

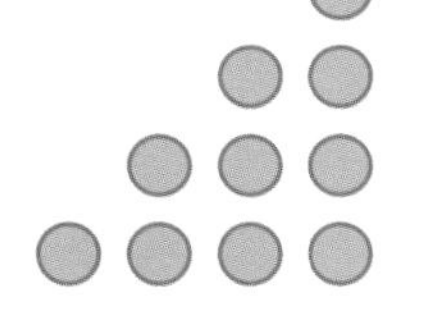

…… ☐개

8번째

⓫

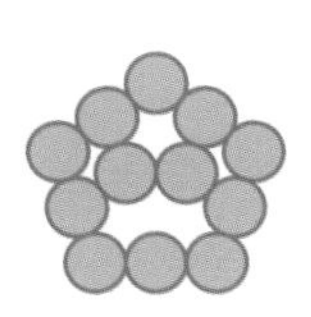

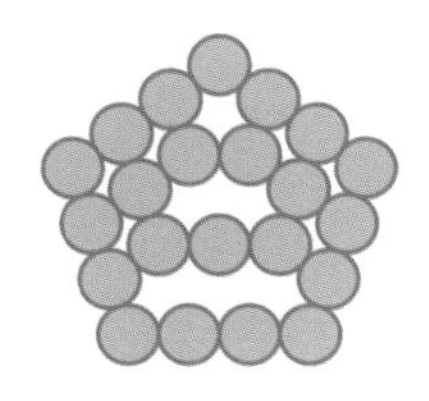

…… ☐개

8번째

pensées

사고가 자라는 수학
씨투엠

'사고력수학의 시작'

팡세

pensées

B1

정답과 풀이

네이버 공식 지원 카페 필즈엠

씨투엠에듀 공식 인스타그램

‘사고력수학의 시작’

팡세

pensées

B1

정답과 풀이

1주차 바둑돌 패턴

DAY 1 마디 패턴

✎ 흰색 바둑돌과 검은색 바둑돌을 이용하여 만든 패턴입니다. 마디를 찾아 ◯로 묶어 보고 패턴에 맞도록 빈칸에 바둑돌을 그려 보세요.

❶ 

❷ 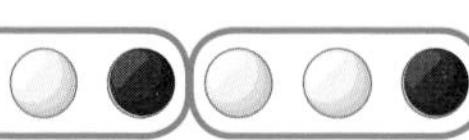

❸ 

❹ 

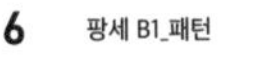

❺

❻ 

❼ 

❽ 

❾ 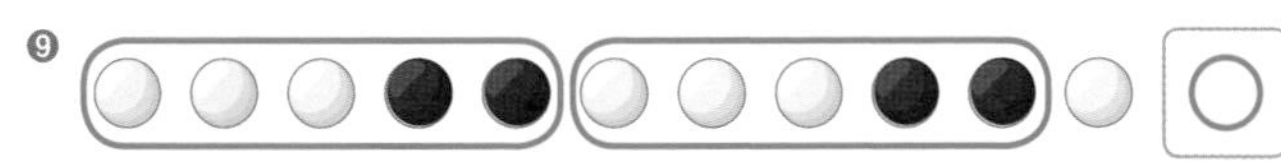

❿ 

DAY 2

개수 패턴

✎ 패턴에 맞도록 빈칸에 바둑돌을 그려 보세요.

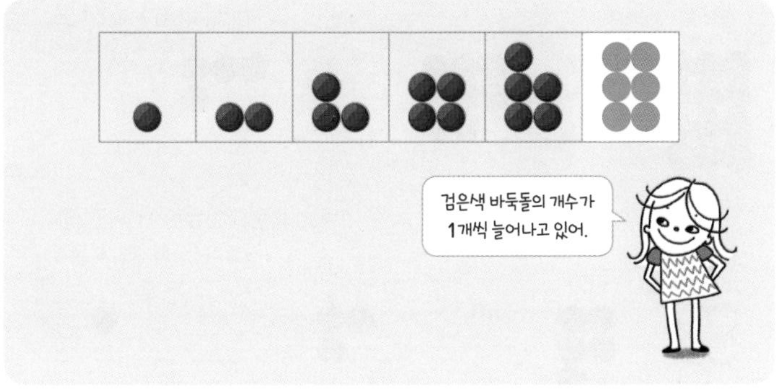

모양에 상관없이 색깔과 개수가 맞으면 정답입니다.

❶

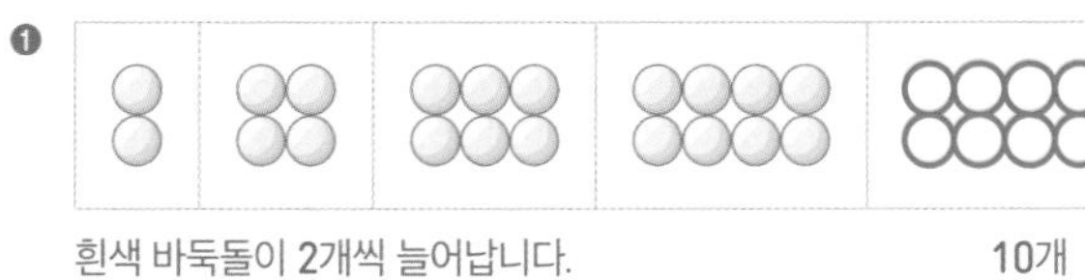

흰색 바둑돌이 2개씩 늘어납니다. 10개

❷

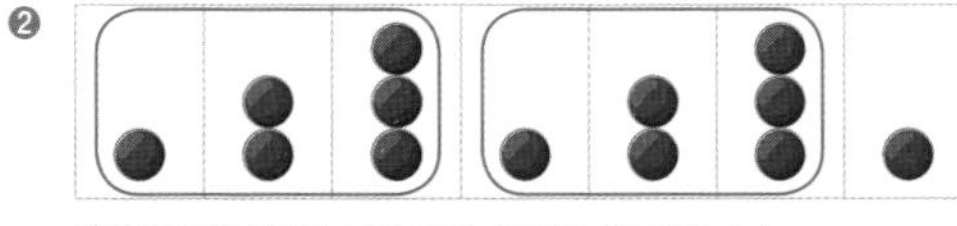

검은색 바둑돌이 1개, 2개, 3개씩 반복됩니다.

❸

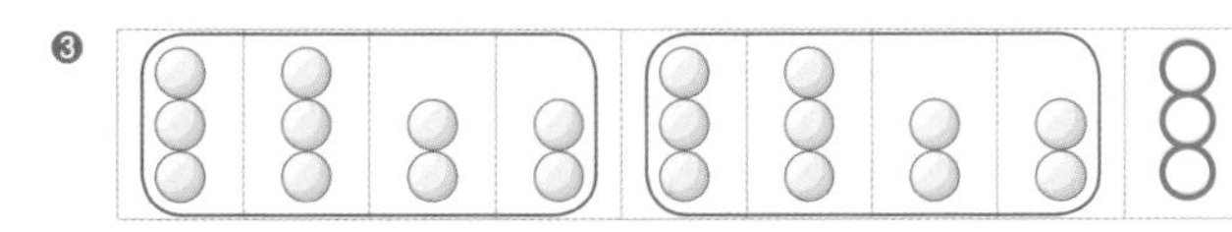

흰색 바둑돌이 3개, 3개, 2개, 2개씩 반복됩니다.

모양에 상관없이 색깔과 개수가 맞으면 정답입니다.

❹ ❺

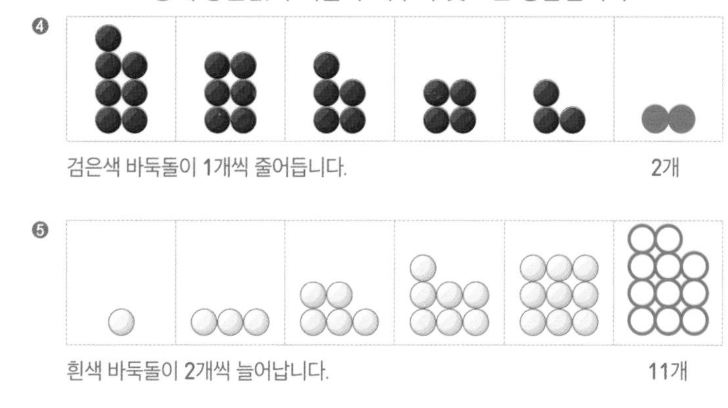

검은색 바둑돌이 1개씩 줄어듭니다. 2개

흰색 바둑돌이 2개씩 늘어납니다. 11개

❻

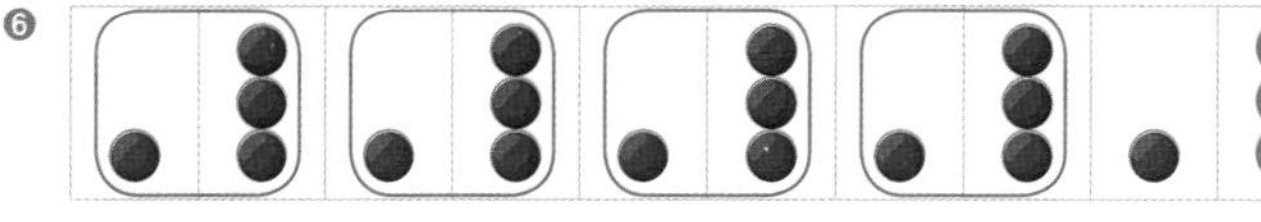

검은색 바둑돌이 1개, 3개씩 반복됩니다.

❼

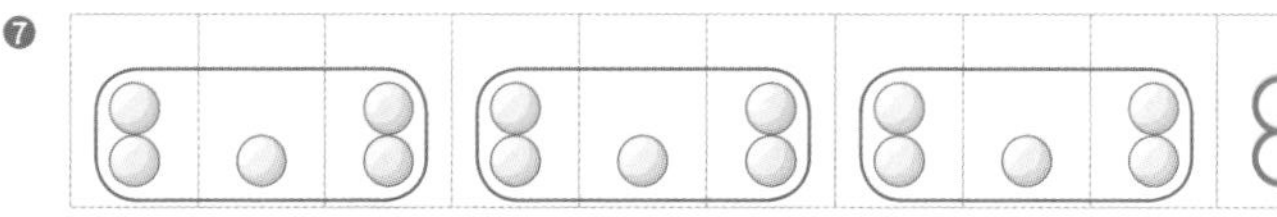

흰색 바둑돌이 2개, 1개, 2개씩 반복됩니다.

❽

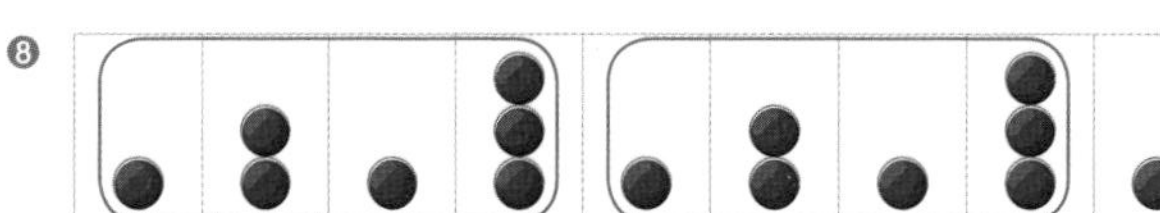

검은색 바둑돌이 1개, 2개, 1개, 3개씩 반복됩니다.

DAY 3 이중 패턴

pensées

✎ 패턴에 맞도록 빈칸에 바둑돌을 그려 보세요.

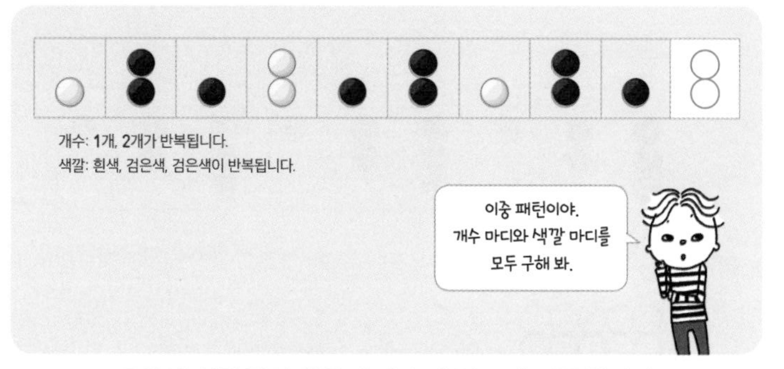

개수: 1개, 2개가 반복됩니다.
색깔: 흰색, 검은색, 검은색이 반복됩니다.
이중 패턴이야.
개수 마디와 색깔 마디를
모두 구해 봐.

모양에 상관없이 색깔과 개수가 맞으면 정답입니다.

❶
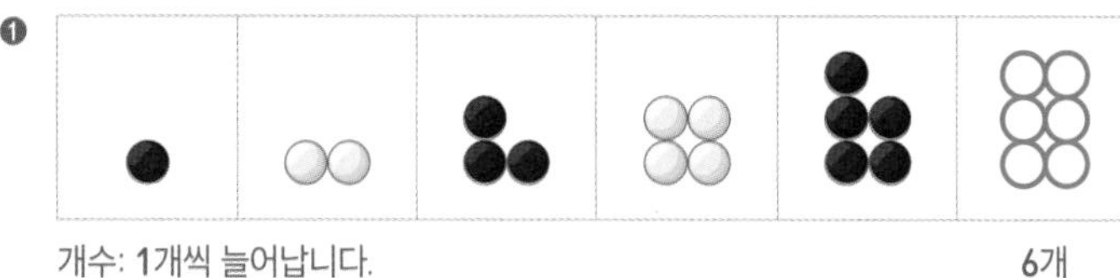

개수: 1개씩 늘어납니다. 6개
색깔: 검은색, 흰색이 반복됩니다.

❷
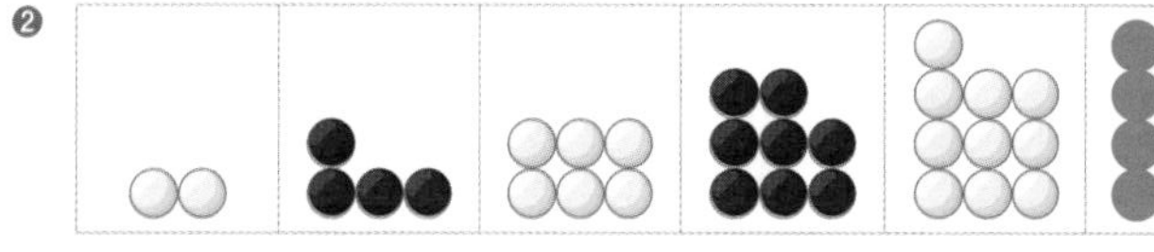

개수: 2개씩 늘어납니다. 12개
색깔: 흰색, 검은색이 반복됩니다.

❸
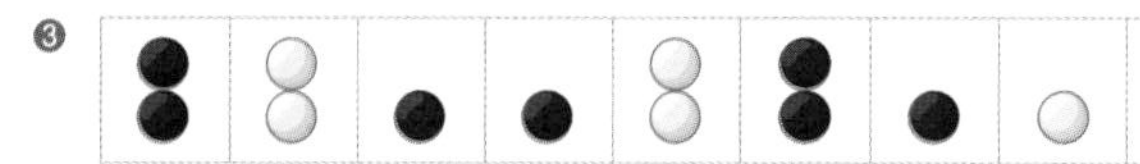

개수: 2개, 2개, 1개, 1개가 반복됩니다.
색깔: 검은색, 흰색, 검은색이 반복됩니다.

모양에 상관없이 색깔과 개수가 맞으면 정답입니다.

❹
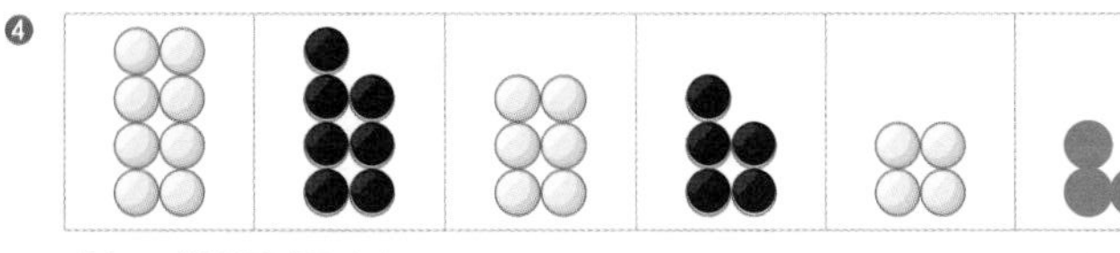

개수: 1개씩 줄어듭니다. 3개
색깔: 흰색, 검은색이 반복됩니다.

❺
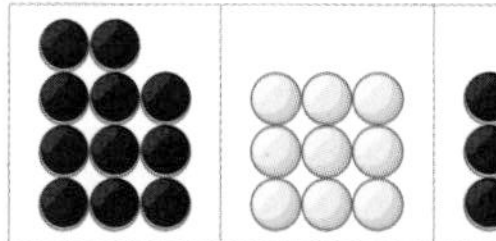
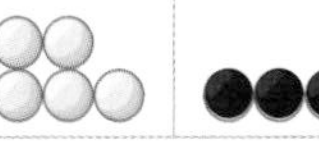
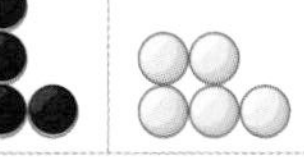
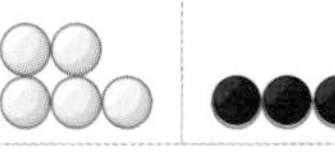

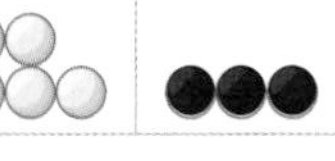
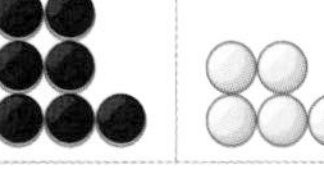

개수: 2개씩 줄어듭니다. 1개
색깔: 검은색, 흰색이 반복됩니다.

❻

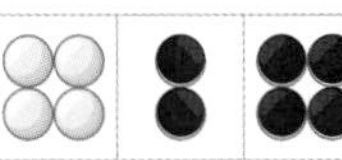

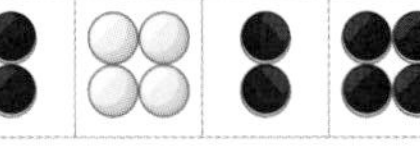
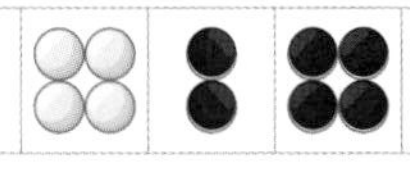

개수: 2개, 4개가 반복됩니다.
색깔: 검은색, 검은색, 흰색이 반복됩니다.

❼
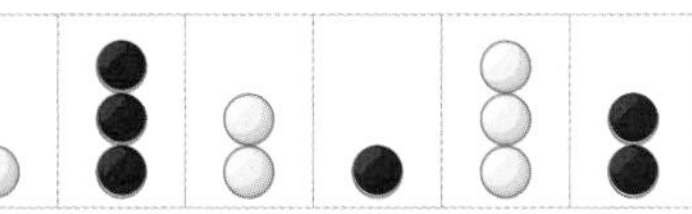

개수: 1개, 3개, 2개가 반복됩니다.
색깔: 흰색, 검은색이 반복됩니다.

❽
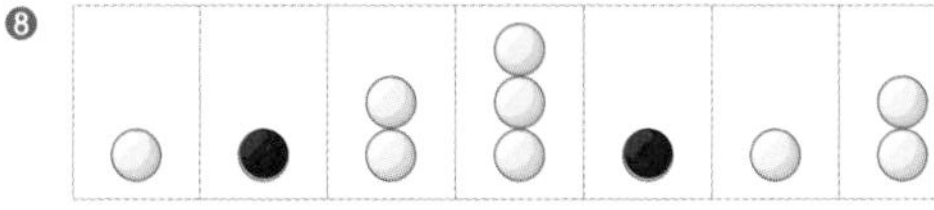

개수: 1개, 1개, 2개, 3개가 반복됩니다.
색깔: 흰색, 검은색, 흰색이 반복됩니다.

DAY 4

모양 패턴

패턴에 맞도록 빈칸에 알맞은 모양을 그려 보세요.

1층씩 늘어나면서 각 층의 바둑돌의 개수가 1개씩 늘어납니다.
바둑돌의 색깔은 1층부터 흰색, 검은색이 반복됩니다.

바둑돌로 △ 모양을 만들었어.
색깔에 주의하면서
빈칸에 알맞게 그려 보자.

❶

❷

❸

❹

❺

❻

DAY 5 바둑돌 빈칸

패턴에 맞도록 빈칸에 바둑돌을 그려 보세요.

❶

❷

❸

검은색 바둑돌과 흰색 바둑돌이 번갈아 가며 놓이고 바둑돌은 1개씩 늘어납니다.

❹

흰색 바둑돌과 검은색 바둑돌이 번갈아 가며 놓이고 바둑돌은 2개씩 늘어납니다.

❺

❻

pensées

❼

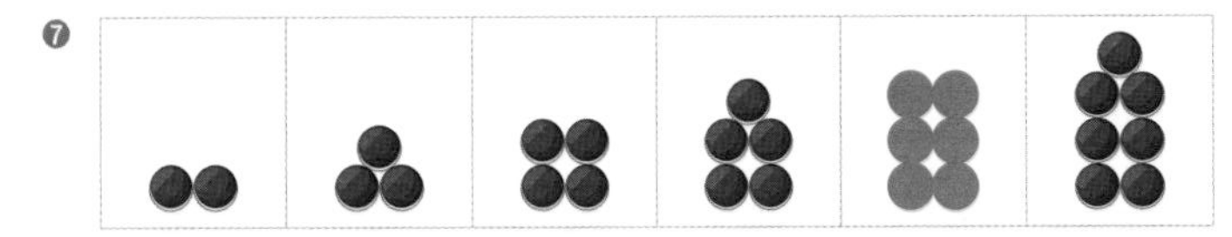

검은색 바둑돌이 1개씩 늘어납니다.

❽

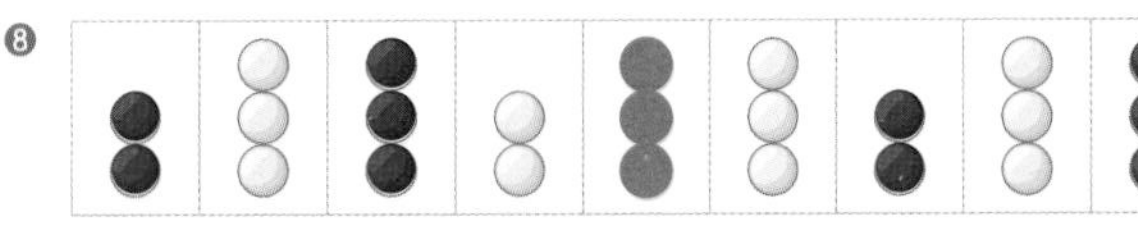

개수: 2개, 3개, 3개가 반복됩니다.
색깔: 검은색, 흰색이 반복됩니다.

❾

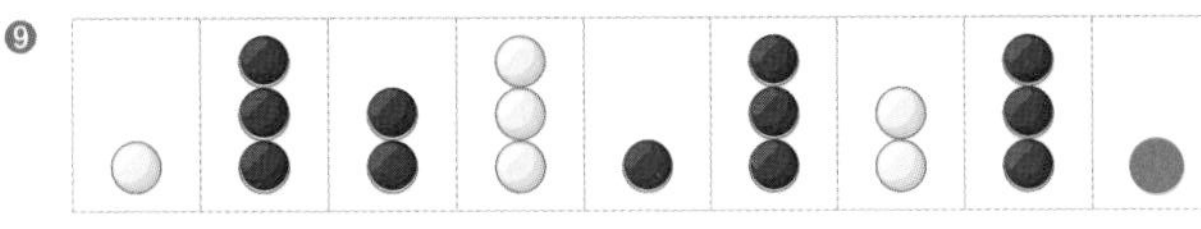

개수: 1개, 3개, 2개, 3개가 반복됩니다.
색깔: 흰색, 검은색, 검은색이 반복됩니다.

❿

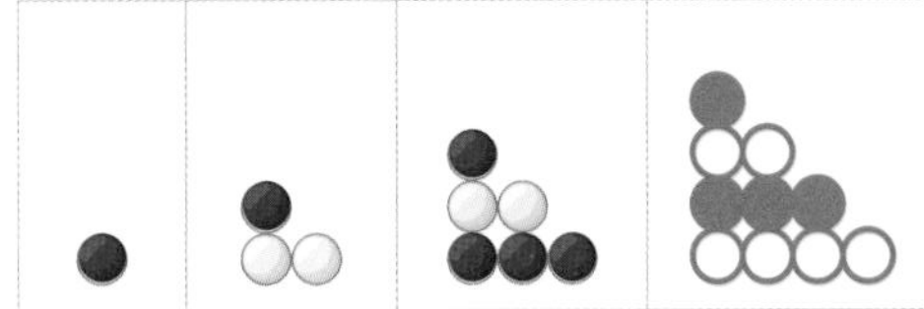

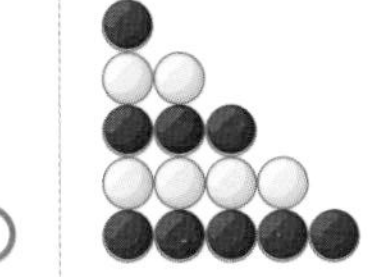

1 주차

확인학습

패턴에 맞도록 빈칸에 바둑돌을 그려 보세요.

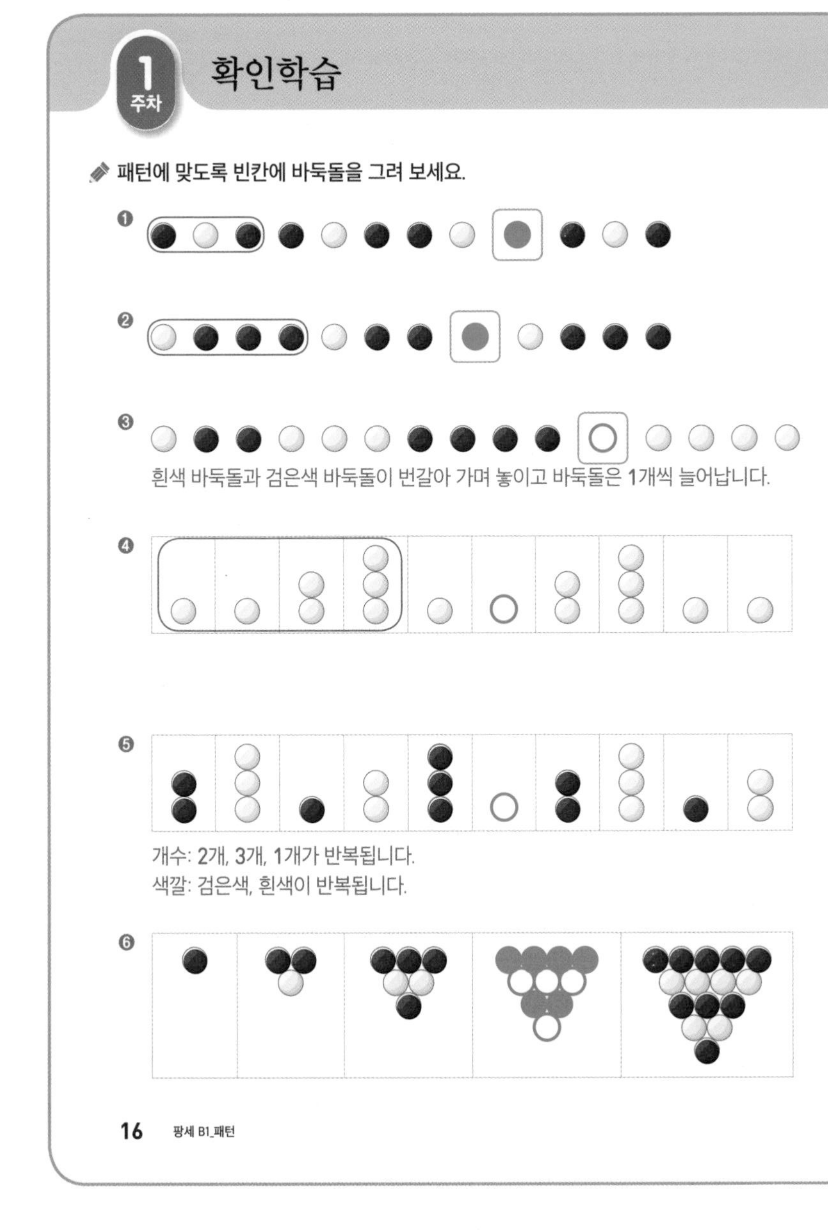

❸ 흰색 바둑돌과 검은색 바둑돌이 번갈아 가며 놓이고 바둑돌은 1개씩 늘어납니다.

❺ 개수: 2개, 3개, 1개가 반복됩니다.
색깔: 검은색, 흰색이 반복됩니다.

2주차 이중 패턴

DAY 1 회전 이동 패턴

규칙을 찾아 마지막 모양을 알맞게 완성하세요.

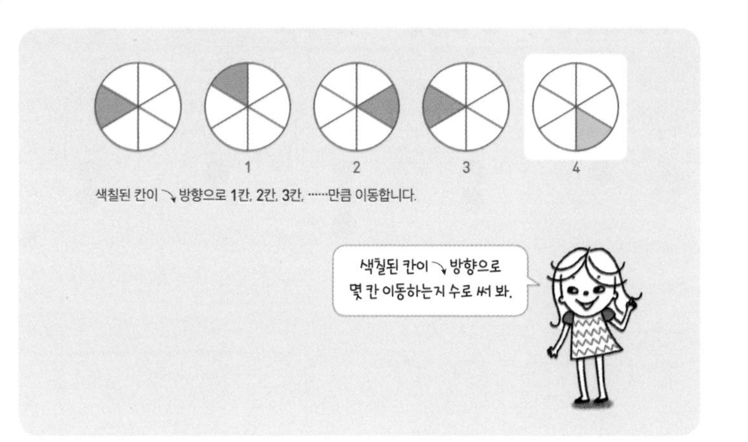

1 2 3 4
색칠된 칸이 ↘ 방향으로 1칸, 2칸, 3칸, ……만큼 이동합니다.
색칠된 칸이 ↘ 방향으로
몇 칸 이동하는지 수로 써 봐.

❶

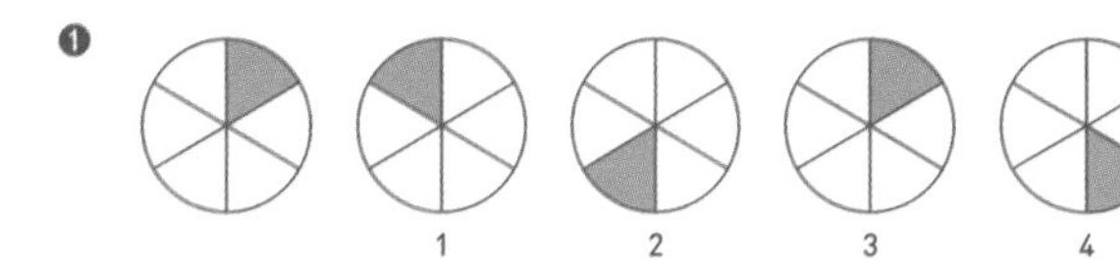

1 2 3 4 5

색칠된 칸이 ↙ 방향으로 1칸, 2칸, 3칸, ……만큼 이동합니다.

❷

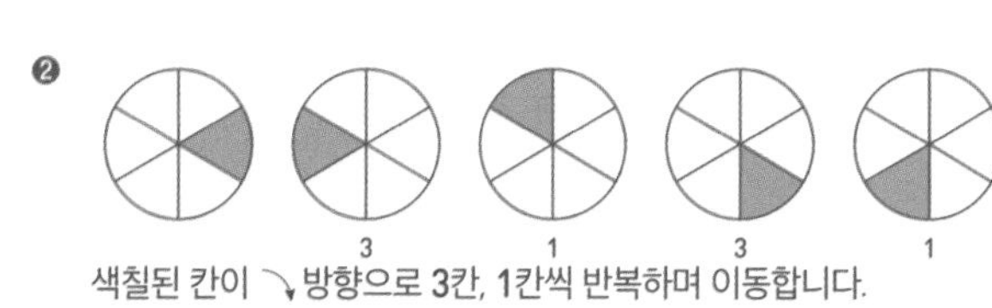

3 1 3 1 3

색칠된 칸이 ↘ 방향으로 3칸, 1칸씩 반복하며 이동합니다.

❸

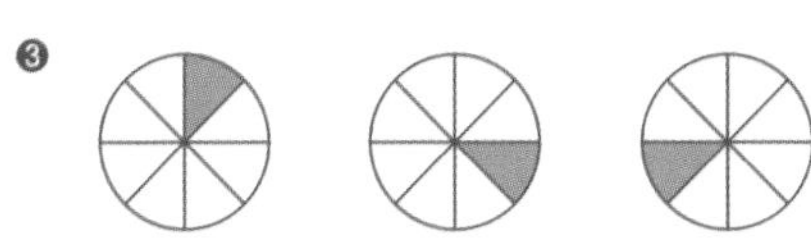
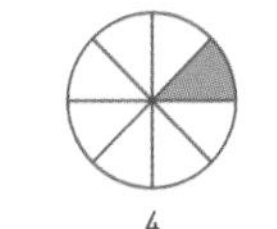
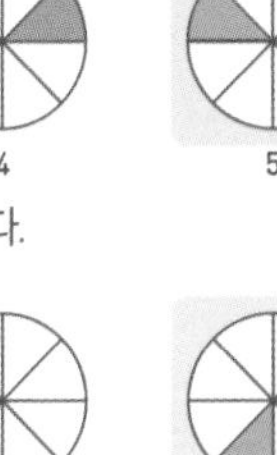

2 3 4 5

색칠된 칸이 ↘ 방향으로 2칸, 3칸, 4칸, ……만큼 이동합니다.

❹

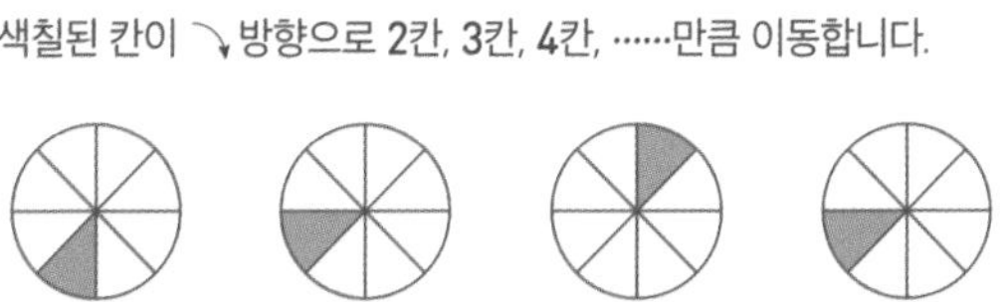
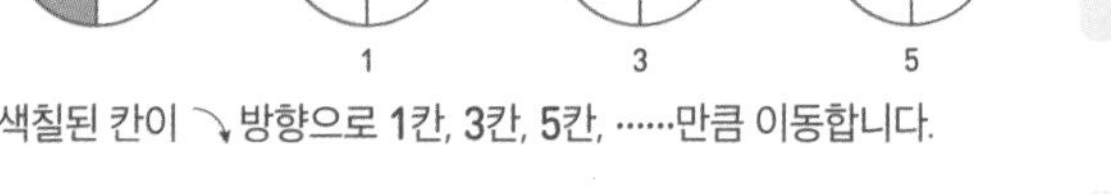

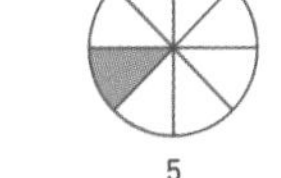
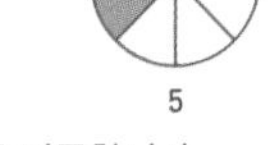

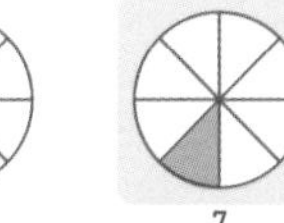

1 3 5 7

색칠된 칸이 ↘ 방향으로 1칸, 3칸, 5칸, ……만큼 이동합니다.

❺

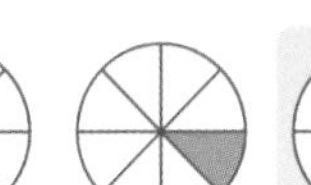
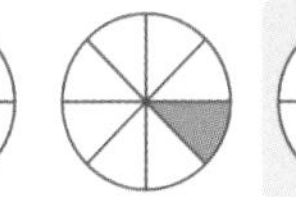
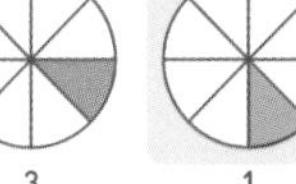
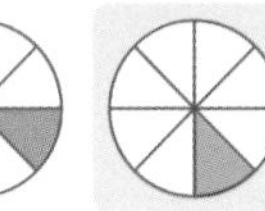

1 3 1 3 1

색칠된 칸이 ↘ 방향으로 1칸, 3칸씩 반복하며 이동합니다.

❻

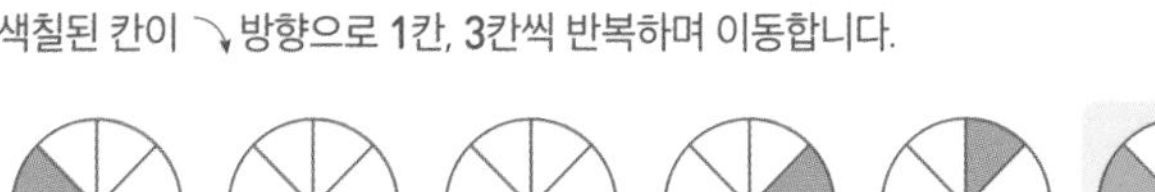
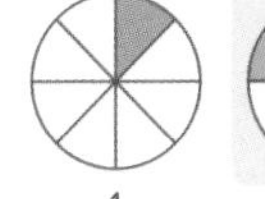
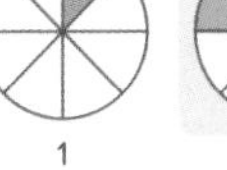
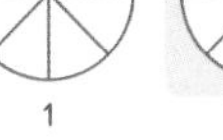

2 1 2 1 2

색칠된 칸이 ↙ 방향으로 2칸, 1칸씩 반복하며 이동합니다.

❼

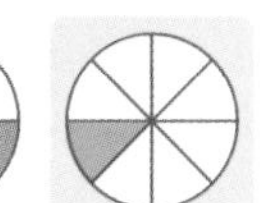

색칠된 칸이 ↘ 방향으로 3칸, ↙ 방향으로 2칸씩 반복하며 이동합니다.

DAY 2 회전 이중 패턴

규칙을 찾아 마지막 모양을 알맞게 완성하세요.

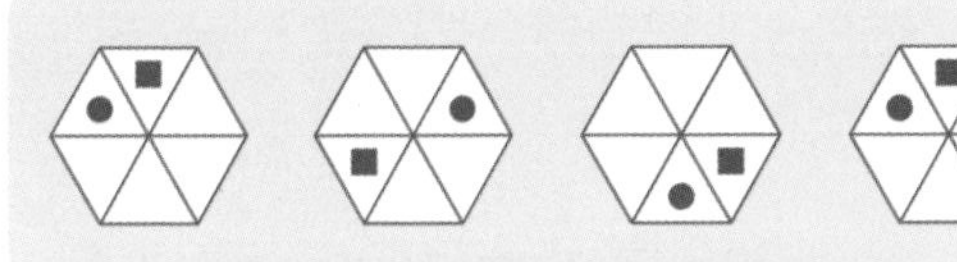

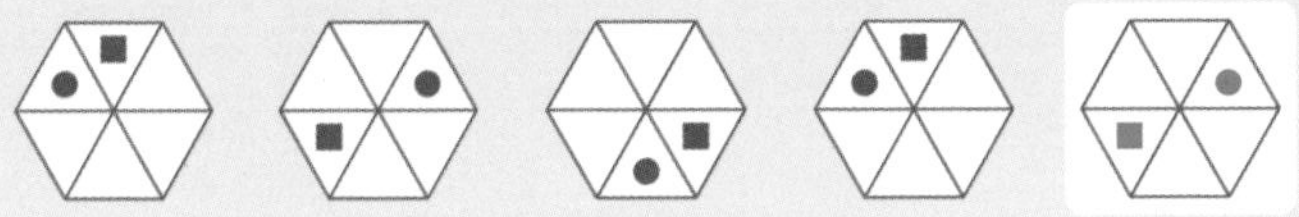

● 모양은 ↘ 방향으로 2칸씩 이동하고, ■ 모양은 ↙ 방향으로 2칸씩 이동합니다.

❶

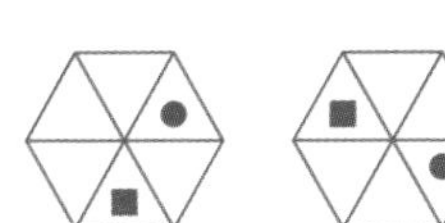
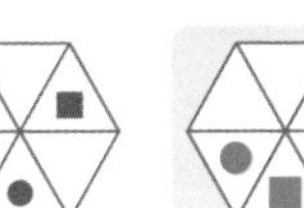
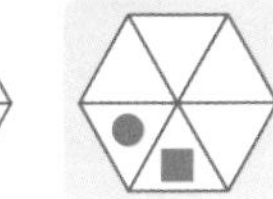
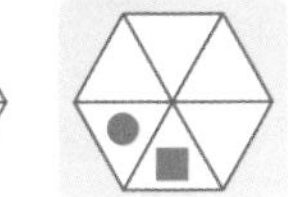

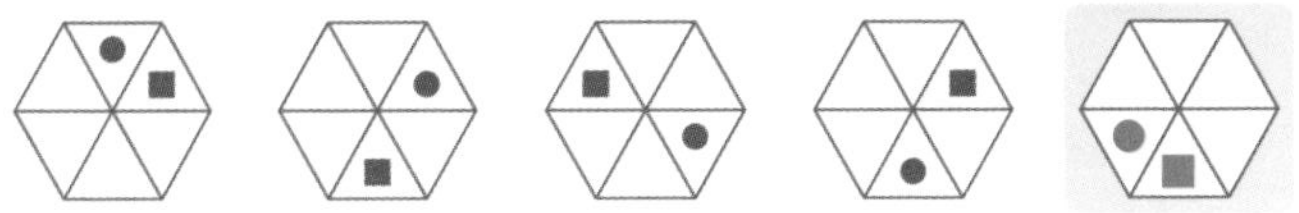

● 모양은 ↘ 방향으로 1칸씩 이동하고, ■ 모양은 ↘ 방향으로 2칸씩 이동합니다.

❷

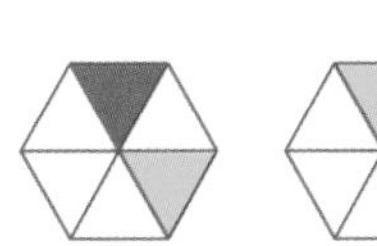
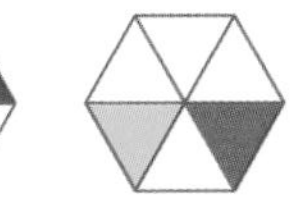
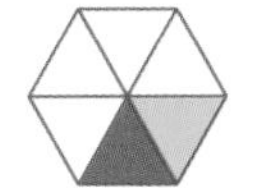
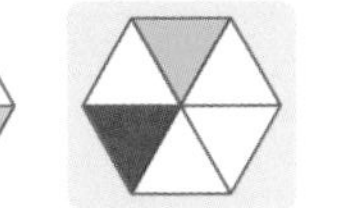

초록색 칸은 ↘ 방향으로 1칸씩 이동하고, 노란색 칸은 ↙ 방향으로 2칸씩 이동합니다.

❸

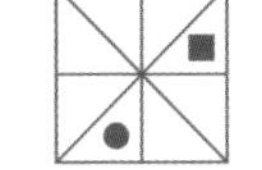
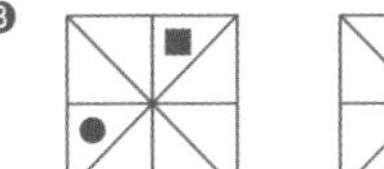
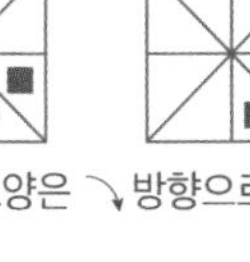
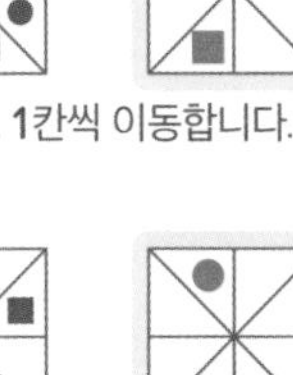

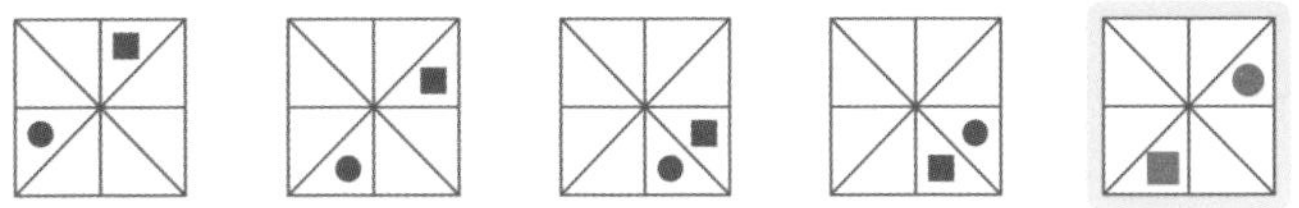

● 모양은 ↙ 방향으로 1칸씩 이동하고, ■ 모양은 ↘ 방향으로 1칸씩 이동합니다.

❹

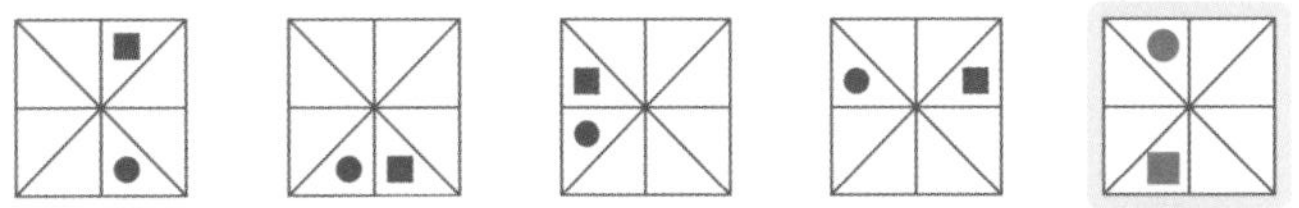

● 모양은 ↘ 방향으로 1칸씩 이동하고, ■ 모양은 ↘ 방향으로 3칸씩 이동합니다.

❺

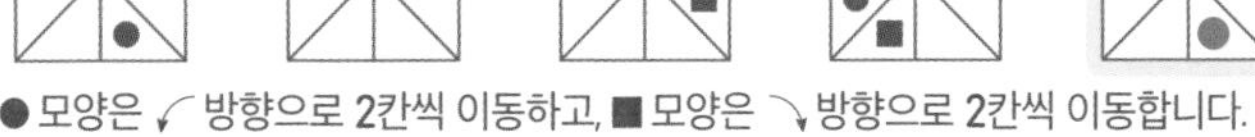
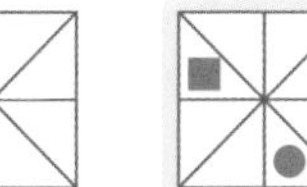
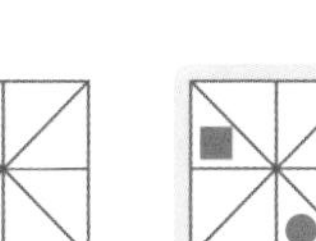

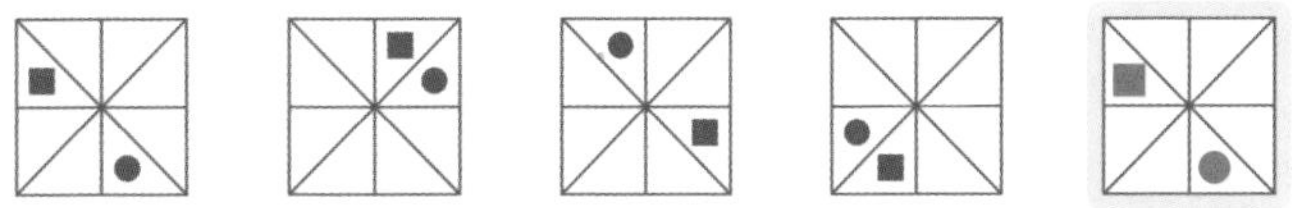

● 모양은 ↙ 방향으로 2칸씩 이동하고, ■ 모양은 ↘ 방향으로 2칸씩 이동합니다.

❻

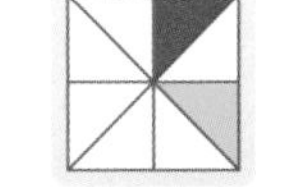
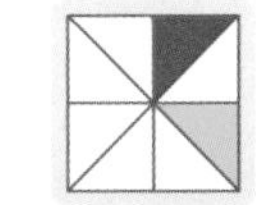
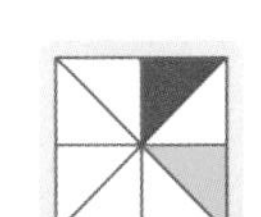

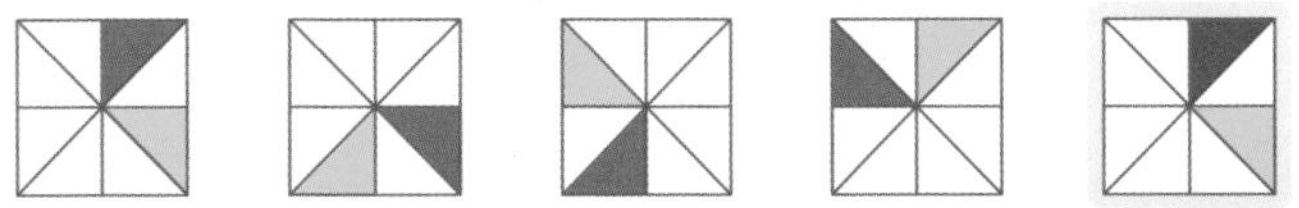

초록색 칸과 노란색 칸이 각각 ↘ 방향으로 2칸씩 이동합니다.

❼

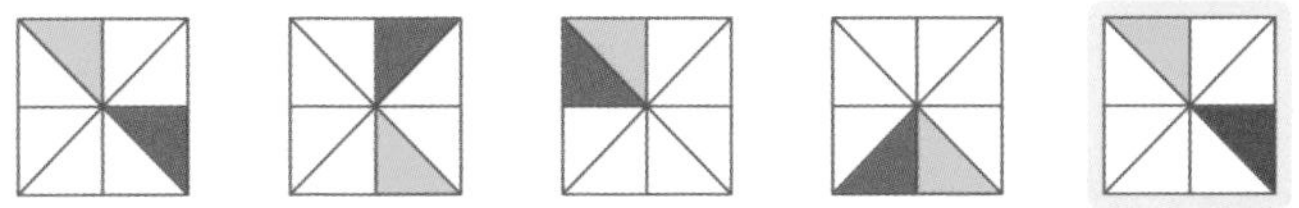

초록색 칸은 ↙ 방향으로 2칸씩 이동하고, 노란색 칸은 ↘ 방향으로 4칸씩 이동합니다.

DAY 3 이동과 반전 패턴

✎ 규칙을 찾아 빈 곳을 알맞게 색칠하세요.

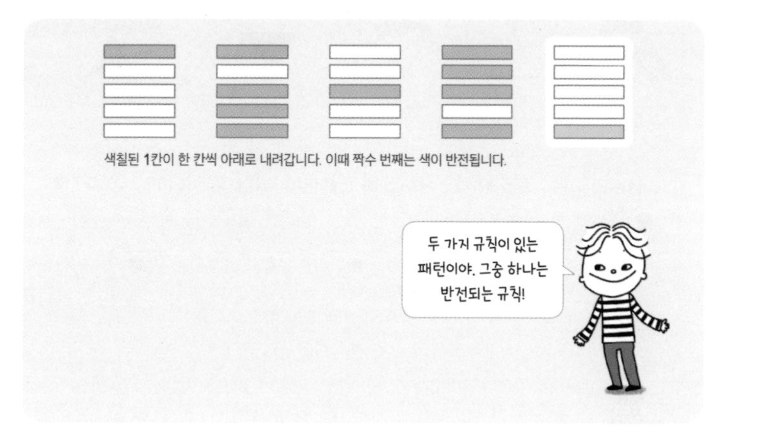

색칠된 1칸이 한 칸씩 아래로 내려갑니다. 이때 짝수 번째는 색이 반전됩니다.
두 가지 규칙이 있는 패턴이야. 그중 하나는 반전되는 규칙!

❶

초록색 칸은 두 칸씩 아래로 내려가고, 내려갈 곳이 없으면 다시 맨 위로 올라갑니다.
노란색 칸은 두 번째, 네 번째 칸이 반복됩니다.

❷

색칠된 1칸이 두 칸씩 아래로 내려가고, 내려갈 곳이 없으면 다시 맨 위로 올라갑니다.
이때 짝수 번째는 색이 반전됩니다.

❸

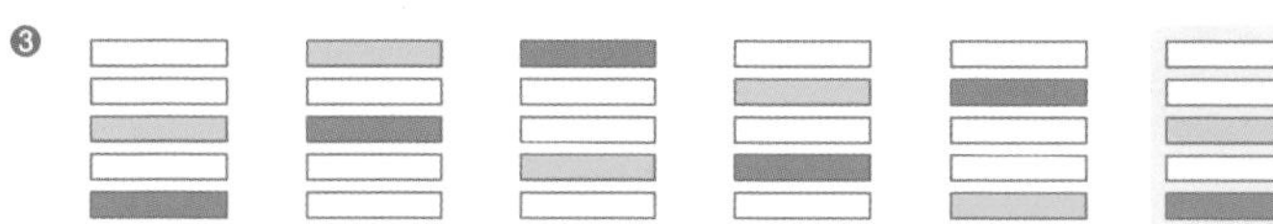

초록색 칸, 노란색 칸 모두 두 칸씩 위로 올라가고, 올라갈 곳이 없으면 다시 맨 아래로 내려갑니다.

❹

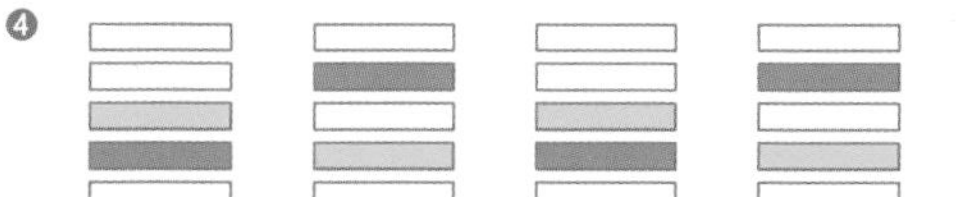

초록색 칸은 네 번째, 두 번째 칸이 반복됩니다.
노란색 칸은 세 번째, 네 번째 칸이 반복됩니다.

❺

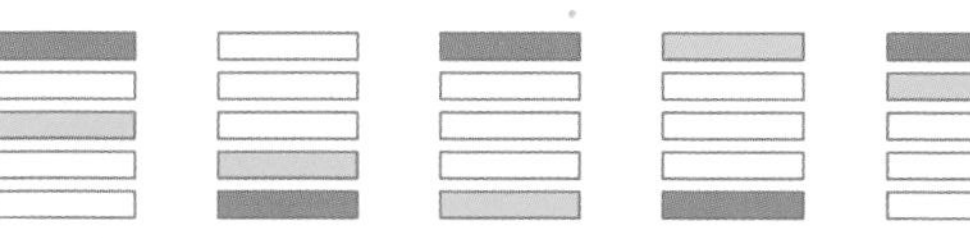

초록색 칸은 첫 번째, 다섯 번째 칸이 반복됩니다.
노란색 칸은 한 칸씩 아래로 내려가고, 내려갈 곳이 없으면 다시 맨 위로 올라갑니다.

❻

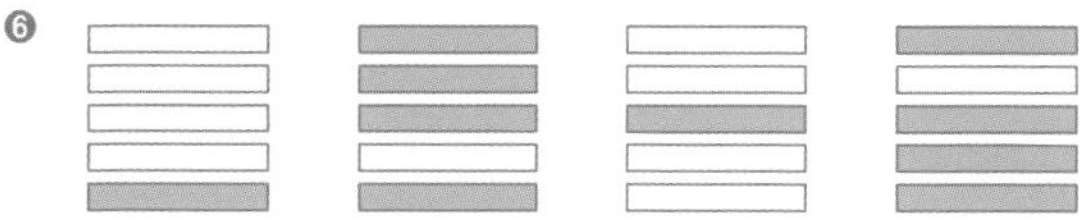

색칠된 1칸이 한 칸씩 위로 올라갑니다.
이때 짝수 번째는 색이 반전됩니다.

❼

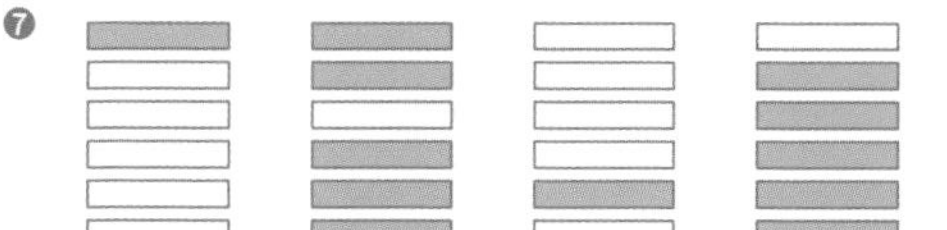

색칠된 1칸이 두 칸씩 아래로 내려가고, 내려갈 곳이 없으면 다시 맨 위로 올라갑니다.
이때 짝수 번째는 색이 반전됩니다.

DAY 4 회전과 증가 패턴

✎ 규칙을 찾아 빈 곳을 알맞게 색칠하세요.

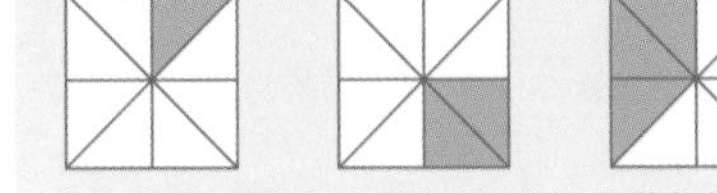
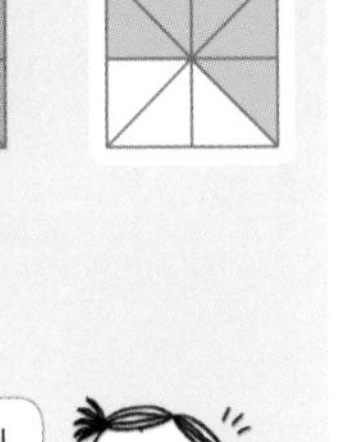

↘방향으로 두 칸씩 이동하면서 한 칸씩 늘어나도록 색칠합니다.

❶

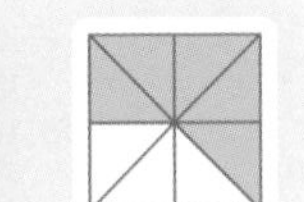

↘방향으로 한 칸씩 늘어나도록 색칠합니다.

❷
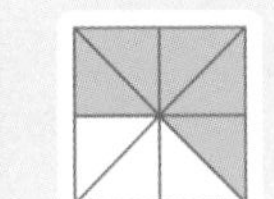
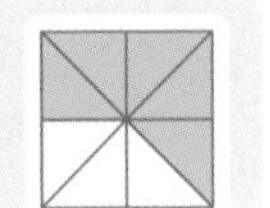

↙방향으로 한 칸씩 이동하면서 한 칸씩 줄어들도록 색칠합니다.

❸
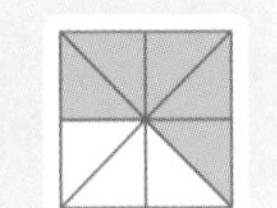
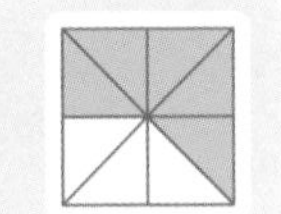

↙방향으로 한 칸씩 이동하면서 한 칸씩 늘어나도록 색칠합니다.

❹
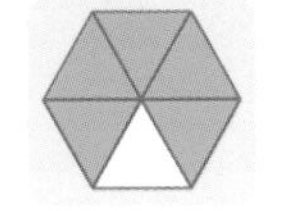
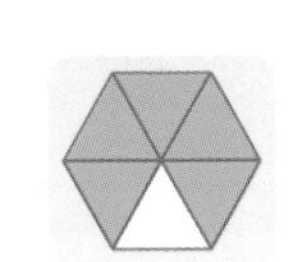

↙방향으로 한 칸씩 줄어들도록 색칠합니다.

❺
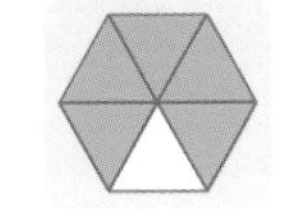
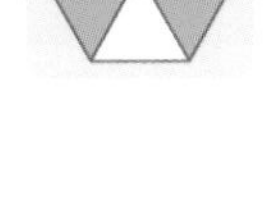

↘방향으로 세 칸씩 이동하면서 한 칸씩 늘어나도록 색칠합니다.

❻
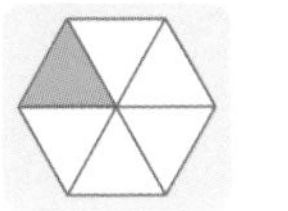
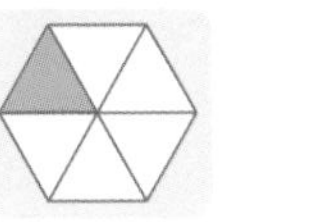

↘방향으로 두 칸씩 이동하면서 한 칸씩 늘어나도록 색칠합니다.

❼
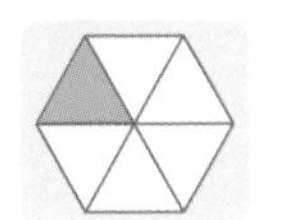
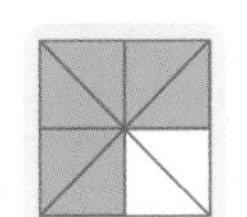

↙방향으로 두 칸씩 이동하면서 한 칸씩 늘어나도록 색칠합니다.

DAY 5 패턴의 빈칸

✎ 규칙을 찾아 빈 곳을 알맞게 색칠하세요.

❶

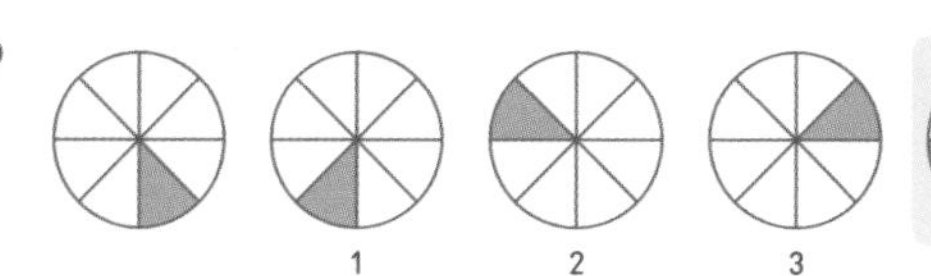
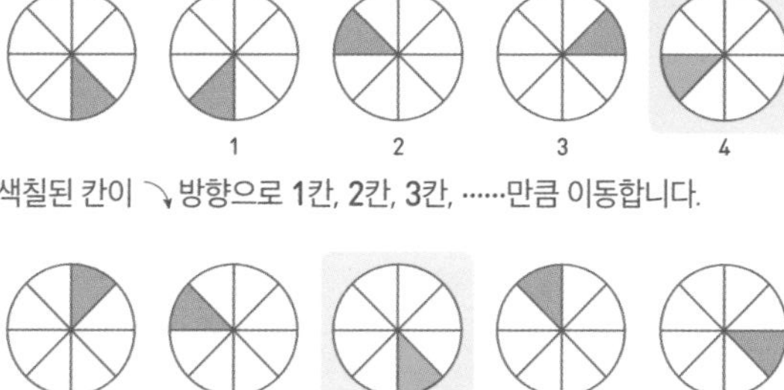

1 2 3 4 5

색칠된 칸이 ↘ 방향으로 1칸, 2칸, 3칸, ……만큼 이동합니다.

❷

2 3 4 5 6

색칠된 칸이 ↙ 방향으로 2칸, 3칸, 4칸, ……만큼 이동합니다.

❸

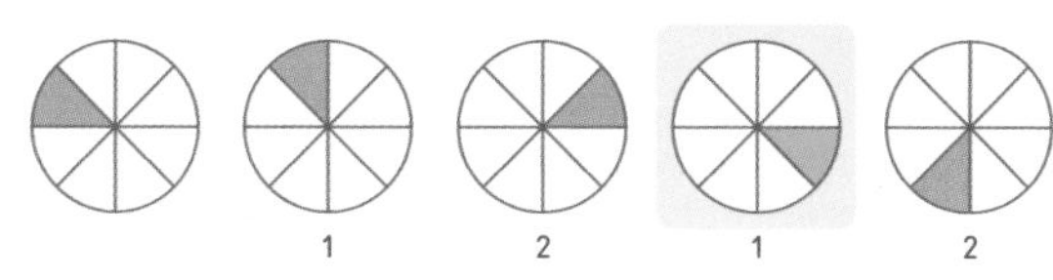

1 2 1 2 1

색칠된 칸이 ↘ 방향으로 1칸, 2칸씩 반복하며 이동합니다.

❹

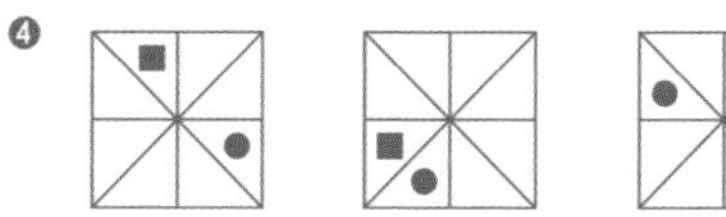

● 모양은 ↘ 방향으로 2칸씩 이동하고, ■ 모양은 ↙ 방향으로 2칸씩 이동합니다.

❺

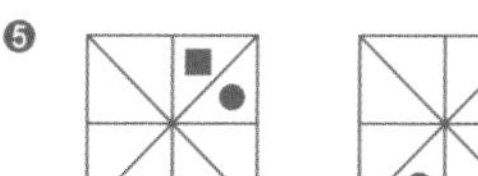
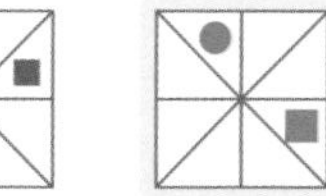

● 모양은 ↘ 방향으로 3칸씩 이동하고, ■ 모양은 ↘ 방향으로 1칸씩 이동합니다.

❻

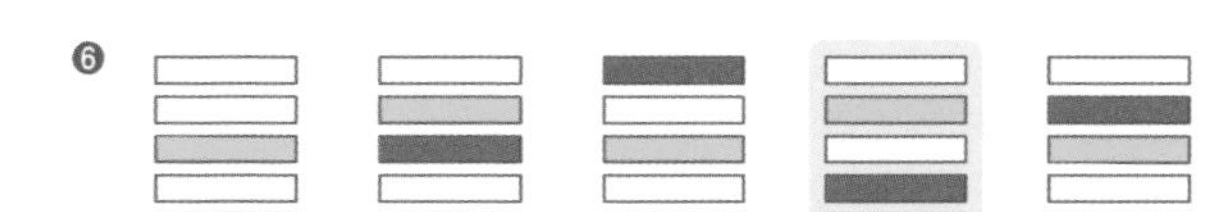

초록색 칸은 두 칸씩 위로 올라가고, 올라갈 곳이 없으면 다시 맨 아래로 내려갑니다.
노란색 칸은 세 번째, 두 번째 칸이 반복됩니다.

❼

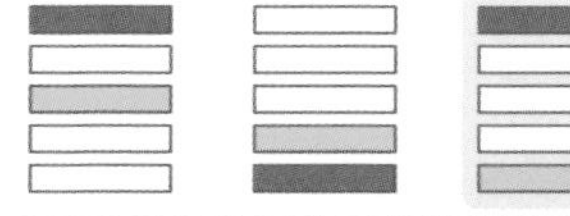
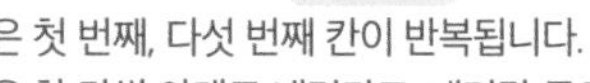

초록색 칸은 첫 번째, 다섯 번째 칸이 반복됩니다.
노란색 칸은 한 칸씩 아래로 내려가고, 내려갈 곳이 없으면 다시 맨 위로 올라갑니다.

❽

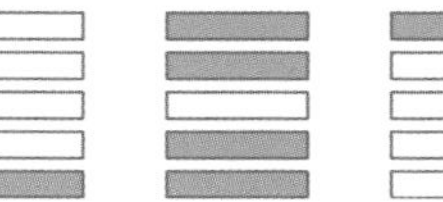
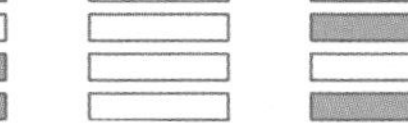
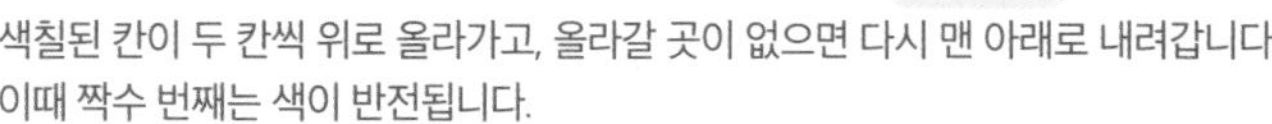

색칠된 칸이 두 칸씩 위로 올라가고, 올라갈 곳이 없으면 다시 맨 아래로 내려갑니다.
이때 짝수 번째는 색이 반전됩니다.

❾

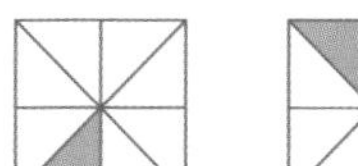
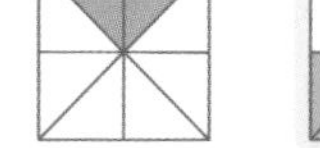
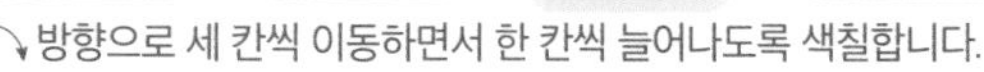
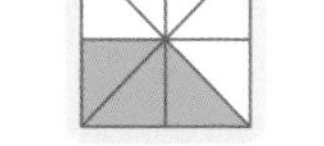

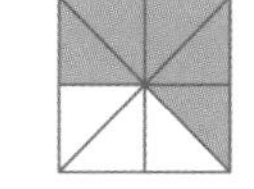

↘ 방향으로 세 칸씩 이동하면서 한 칸씩 늘어나도록 색칠합니다.

❿

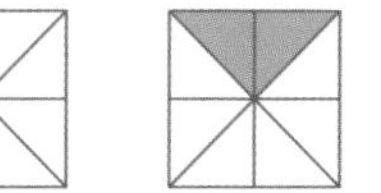
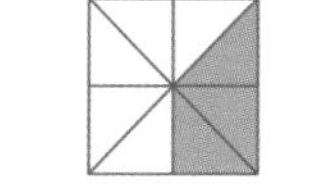
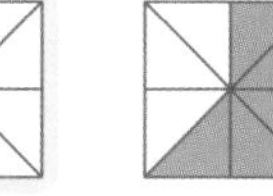

↘ 방향으로 한 칸씩 이동하면서 한 칸씩 늘어나도록 색칠합니다.

2주차 확인학습

✎ 규칙을 찾아 빈 곳을 알맞게 색칠하세요.

❶

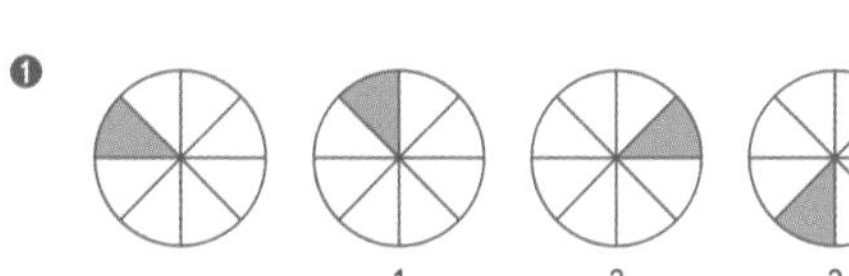

1 2 3 4 5

색칠된 칸이 ↘ 방향으로 1칸, 2칸, 3칸, ……만큼 이동합니다.

❷

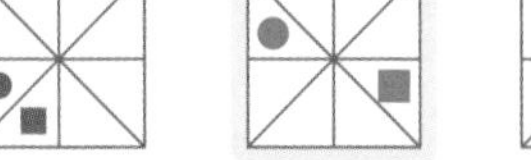
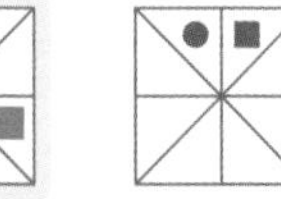
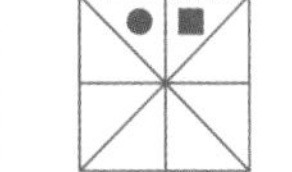

● 모양은 ↘ 방향으로 1칸씩 이동하고, ■ 모양은 ↙ 방향으로 2칸씩 이동합니다.

❸

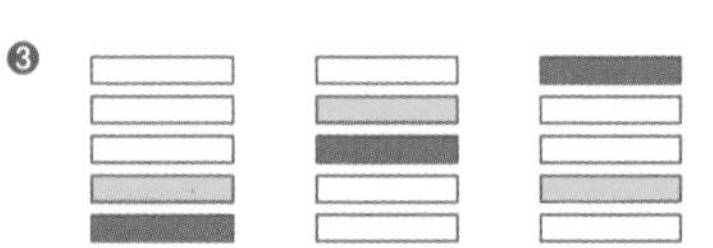
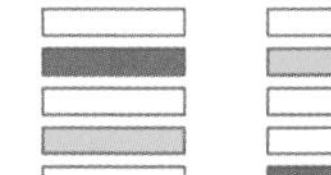
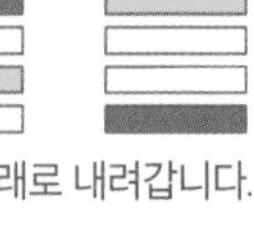

초록색 칸은 두 칸씩 위로 올라가고, 올라갈 곳이 없으면 다시 맨 아래로 내려갑니다.
노란색 칸은 네 번째, 두 번째 칸이 반복됩니다.

❹

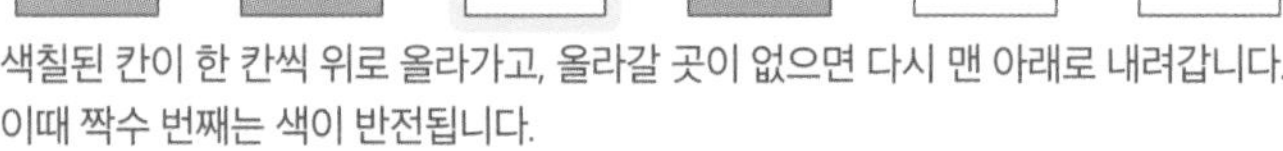

색칠된 칸이 한 칸씩 위로 올라가고, 올라갈 곳이 없으면 다시 맨 아래로 내려갑니다.
이때 짝수 번째는 색이 반전됩니다.

❺

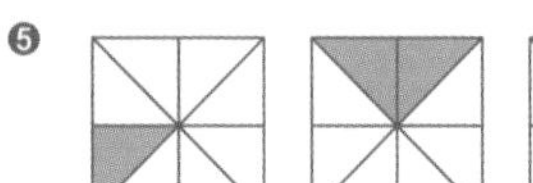
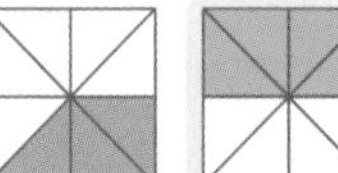
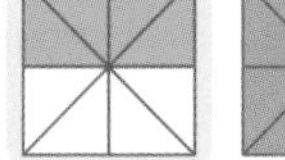
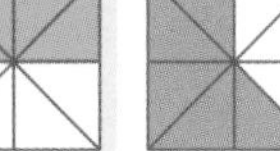
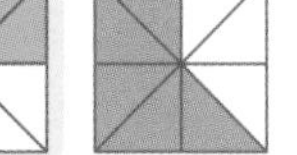

↘ 방향으로 두 칸씩 이동하면서 한 칸씩 늘어나도록 색칠합니다.

3주차 수열

DAY 1 수열의 규칙 (1)

pensées

□ 안에 알맞은 수를 써넣고, 맞는 것에 ○표 하세요.

1, 2, 4, [8], 16, 32, …

×2 ×2 ×2 ×2 ×2

➡ 앞의 수에 [2] 씩 (더합니다 , 뺍니다 , (곱합니다)).

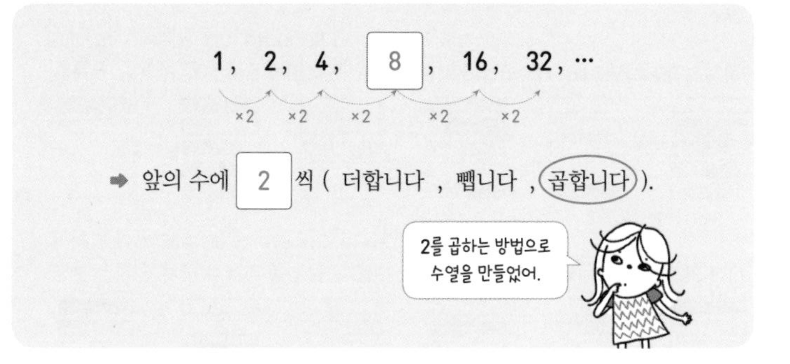

2를 곱하는 방법으로
수열을 만들었어.

❶ 3, 9, [15], 21, 27, 33, …

+6 +6 +6 +6 +6

➡ 앞의 수에 [6] 씩 ((더합니다), 뺍니다 , 곱합니다).

❷ 51, 44, 37, 30, [23], 16, …

−7 −7 −7 −7 −7

➡ 앞의 수에서 [7] 씩 (더합니다 , (뺍니다), 곱합니다).

❸ 3, 6, 12, [24], 48, 96, …

×2 ×2 ×2 ×2 ×2

➡ 앞의 수에 [2] 씩 (더합니다 , 뺍니다 , (곱합니다)).

❹ 9, 17, 25, [33], 41, 49, …

+8 +8 +8 +8 +8

➡ 앞의 수에 [8] 씩 ((더합니다), 뺍니다 , 곱합니다).

❺ 1, 3, 9, [27], 81, …

×3 ×3 ×3 ×3

➡ 앞의 수에 [3] 씩 (더합니다 , 뺍니다 , (곱합니다)).

❻ 19, 31, [43], 55, 67, 79, …

+12 +12 +12 +12 +12

➡ 앞의 수에 [12] 씩 ((더합니다), 뺍니다 , 곱합니다).

❼ 80, 71, 62, [53], 44, 35, …

−9 −9 −9 −9 −9

➡ 앞의 수에서 [9] 씩 (더합니다 , (뺍니다), 곱합니다).

❽ 5, 10, 20, [40], 80, …

×2 ×2 ×2 ×2

➡ 앞의 수에 [2] 씩 (더합니다 , 뺍니다 , (곱합니다)).

DAY 2

수열의 규칙 (2)

pensées

수열의 규칙을 찾아 선으로 이어 보세요.

번호	수열	규칙
❶	4, 11, 18, 25, 32, 39, ⋯	더하는 수가 1, 4로 반복됩니다.
❷	3, 6, 12, 24, 48, 96, ⋯	앞의 수에 7을 더합니다.
❸	3, 4, 8, 9, 13, 14, 18, ⋯	바로 앞의 두 수의 합입니다.
❹	1, 3, 7, 13, 21, 31, 43, ⋯	앞의 수에 2를 곱합니다.
❺	23, 17, 12, 8, 5, 3, ⋯	더하는 수가 2부터 2씩 커집니다.
❻	1, 1, 2, 3, 5, 8, 13, 21, ⋯	빼는 수가 6부터 1씩 작아집니다.

번호	수열	규칙
❼	1, 4, 5, 9, 14, 23, 37, ⋯	더하는 수가 4부터 1씩 커집니다.
❽	31, 28, 25, 22, 19, 16, ⋯	앞의 수에서 3을 뺍니다.
❾	2, 6, 18, 54, ⋯	바로 앞의 두 수의 합입니다.
❿	3, 7, 12, 18, 25, 33, ⋯	빼는 수가 2부터 3씩 커집니다.
⓫	1, 4, 12, 15, 23, 26, 34, ⋯	앞의 수에 3을 곱합니다.
⓬	50, 48, 43, 35, 24, 10, ⋯	더하는 수가 3, 8로 반복됩니다.

DAY 3 수열 완성하기

수열입니다. □ 안에 알맞은 수를 써넣으세요.

3, 6, 7, 14, 15, [30], [31], …

×2 +1 ×2 +1 ×2 +1

×2, +1을 반복하여 계산합니다.

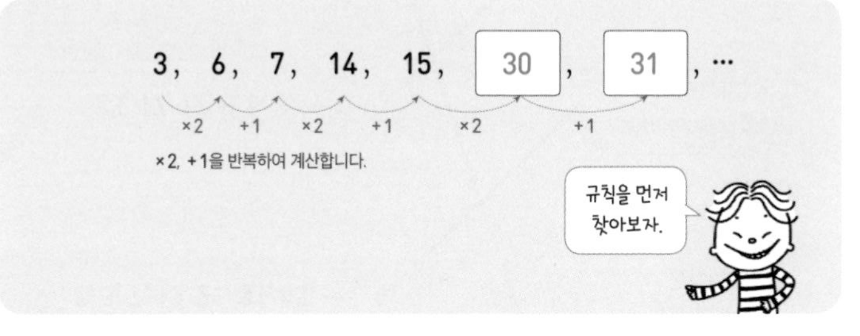

❶ 3, 10, 17, 24, 31, 38, [45], …

+7 +7 +7 +7 +7 +7

바로 앞의 수에 7을 더합니다.

❷ 45, 39, 33, 27, 21, 15, [9], …

−6 −6 −6 −6 −6 −6

바로 앞의 수에서 6을 뺍니다.

❸ 5, 10, 20, 40, [80], …

×2 ×2 ×2 ×2

바로 앞의 수에 2를 곱합니다.

❹ 1, 3, 9, 27, [81], …

×3 ×3 ×3 ×3

바로 앞의 수에 3을 곱합니다.

❺ 1, 4, 9, 16, 25, 36, 49, [64], [81], …

더하는 수가 3부터 2씩 커집니다.

❻ 6, 10, 15, 19, 24, 28, 33, [37], [42], …

+4 +5 +4 +5 +4 +5 +4 +5

더하는 수가 4, 5로 반복됩니다.

❼ 1, 3, 6, 8, 16, 18, 36, [38], [76], …

+2 ×2 +2 ×2 +2 ×2 +2 ×2

+2, ×2를 반복하여 계산합니다.

❽ 4, 8, 5, 10, 7, 14, 11, [22], [19], …

×2 −3 ×2 −3 ×2 −3 ×2 −3

×2, −3을 반복하여 계산합니다.

❾ 1, 3, 4, 7, 11, 18, 29, [47], [76], …

첫 번째 수는 1, 두 번째 수는 3이고, 세 번째 수부터는 바로 앞의 두 수의 합입니다.

❿ 2, 5, 7, 12, 19, 31, [50], [81], …

첫 번째 수는 2, 두 번째 수는 5이고, 세 번째 수부터는 바로 앞의 두 수의 합입니다.

수열의 빈칸

✎ 수열입니다. □ 안에 알맞은 수를 써넣으세요.

1, 4, 8, 11, [22], 25, 50, …

+3 ×2 +3 ×2 +3 ×2

+3, ×2를 반복하여 계산합니다.

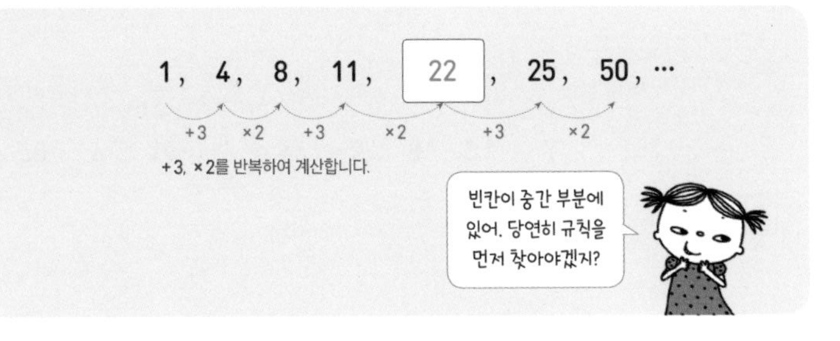
빈칸이 중간 부분에
있어. 당연히 규칙을
먼저 찾아야겠지?

❶ 2, 15, [28], 41, 54, 67, 80, …

+13 +13 +13 +13 +13 +13

바로 앞의 수에 13을 더합니다.

❷ 60, 51, 42, [33], 24, 15, 6, …

−9 −9 −9 −9 −9 −9

바로 앞의 수에서 9를 뺍니다.

❸ 3, 6, [12], 24, 48, 96, …

×2 ×2 ×2 ×2 ×2

바로 앞의 수에 2를 곱합니다.

❹ 7, 14, 28, [56], 112, …

×2 ×2 ×2 ×2

바로 앞의 수에 2를 곱합니다.

❺ 4, 7, 12, 15, 20, 23, [28], 31, 36, …

+3 +5 +3 +5 +3 +5 +3 +5

+3, +5를 반복하여 계산합니다.

❻ 8, 19, 15, 26, 22, [33], 29, 40, 36, …

+11 −4 +11 −4 +11 −4 +11 −4

+11, −4를 반복하여 계산합니다.

❼ 1, 3, 4, 12, 13, [39], 40, 120, 121, …

×3 +1 ×3 +1 ×3 +1 ×3 +1

×3, +1을 반복하여 계산합니다.

❽ 1, 4, 8, [11], 22, 25, 50, 53, 106, …

+3 ×2 +3 ×2 +3 ×2 +3 ×2

+3, ×2를 반복하여 계산합니다.

❾ 1, 5, 6, 11, 17, [28], 45, 73, …

첫 번째 수는 1, 두 번째 수는 5이고, 세 번째 수부터는 바로 앞의 두 수의 합입니다.

❿ 2, 7, 9, 16, [25], 41, 66, 107, …

첫 번째 수는 2, 두 번째 수는 7이고, 세 번째 수부터는 바로 앞의 두 수의 합입니다.

DAY 5 두 가지 규칙의 수열

수열입니다. □ 안에 알맞은 수를 써넣으세요.

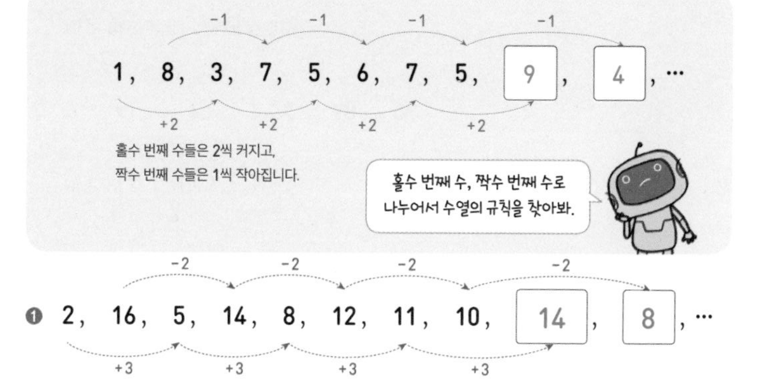

1, 8, 3, 7, 5, 6, 7, 5, [9], [4], …

(−1, −1, −1, −1 / +2, +2, +2, +2)

홀수 번째 수들은 2씩 커지고,
짝수 번째 수들은 1씩 작아집니다.

홀수 번째 수, 짝수 번째 수로
나누어서 수열의 규칙을 찾아봐.

❶ 2, 16, 5, 14, 8, 12, 11, 10, [14], [8], … (−2 / +3)

❷ 1, 7, 5, 8, 9, 9, 13, 10, [17], [11], … (+1 / +4)

❸ 20, 9, 16, 7, 12, 5, 8, 3, [4], [1], … (−2 / −4)

❹ 1, 1, 3, 2, 5, 4, 7, 8, [9], [16], … (×2 / +2)

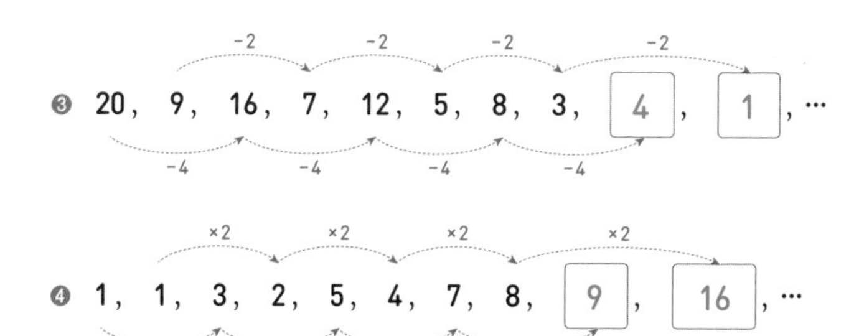

❺ 1, 3, 3, 6, 9, 12, 27, 24, [81], [48], … (×2 / ×3)

❻ 15, 2, 12, 4, 9, 8, 6, 16, [3], [32], … (×2 / −3)

❼ 3, 5, 4, 10, 6, 20, 9, 40, [13], [80], … (×2 / +1, +2, +3, +4)

❽ 6, 19, 13, 16, 20, [13], 27, 10, 34, 7, … (−3 / +7)

❾ 2, 2, 4, 6, 8, 10, [16], 14, 32, 18, … (+4 / ×2)

❿ 3, 6, 5, 12, 9, [24], 15, 48, [23], 96, … (×2 / +2, +4, +6, +8)

확인학습

수열입니다. □ 안에 알맞은 수를 써넣으세요.

❶ 1, 2, 4, 8, [16], 32, 64, …

×2 ×2 ×2 ×2 ×2 ×2

바로 앞의 수에 2를 곱합니다.

❷ 1, 4, 3, 12, 11, [44], 43, …

×4 −1 ×4 −1 ×4 −1

×4, −1을 반복하여 계산합니다.

❸ 1, 2, 3, 5, 8, 13, [21], 34, …

첫 번째 수는 1, 두 번째 수는 2이고, 세 번째 수부터는 바로 앞의 두 수의 합입니다.

수열입니다. □ 안에 알맞은 수를 써넣으세요.

❹ 1, 1, 5, 3, 9, 9, 13, 27, [17], [81], …

×3 ×3 ×3 ×3

+4 +4 +4 +4

❺ 3, 4, 6, 13, 12, 22, [24], 31, 48, [40], …

+9 +9 +9 +9

×2 ×2 ×2 ×2

❻ 2, 4, 3, 8, 6, [16], 11, 32, [18], 64, …

×2 ×2 ×2 ×2

+1 +3 +5 +7

DAY 1 마디 패턴

✎ 규칙을 찾아 빈칸에 알맞은 모양을 그리거나 색칠해 보세요.

20번째

3번째 모양까지 하나의 마디를 이룹니다.
3×6=18이므로 18번째까지 마디가 6번 반복하고 19번째부터 마디가 시작합니다.
따라서 19번째 모양은 마디의 첫 번째 모양과 같고, 20번째 모양은 마디의 두 번째 모양과 같습니다.

❶ 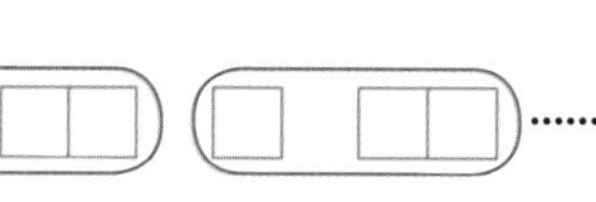 

19번째

2×9=18이므로 18번째까지 마디가 9번 반복하고 19번째부터 새로운 마디가 시작합니다. 따라서 19번째 모양은 마디의 첫 번째 모양과 같습니다.

❷ 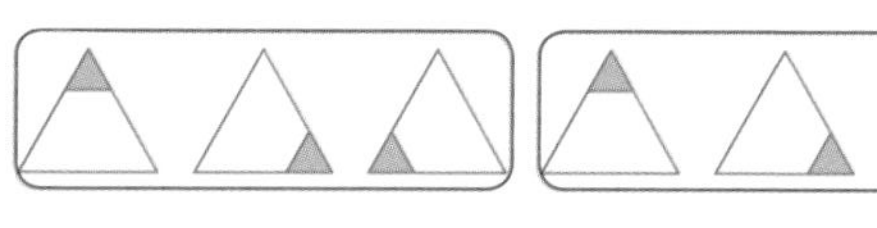

16번째

3×5=15이므로 15번째까지 마디가 5번 반복하고 16번째부터 새로운 마디가 시작합니다. 따라서 16번째 모양은 마디의 첫 번째 모양과 같습니다.

❸ 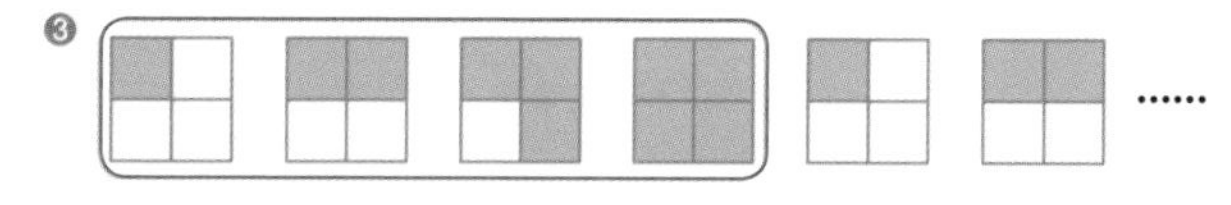

22 번째

4×5=20이므로 20번째까지 마디가 5번 반복하고 21번째부터 새로운 마디가 시작합니다. 따라서 22번째 모양은 마디의 두 번째 모양과 같습니다.

❹ 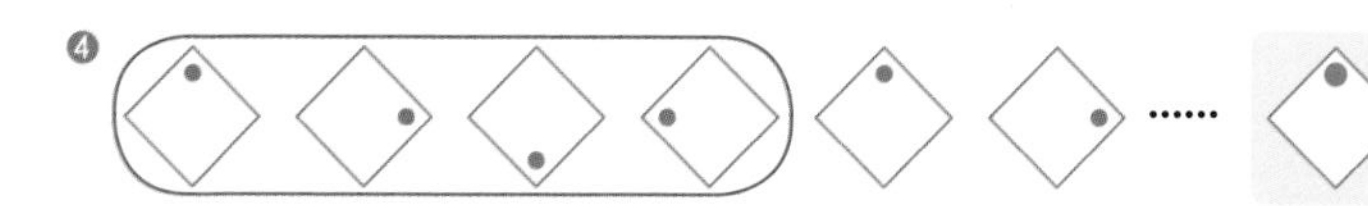

25번째

4×6=24이므로 24번째까지 마디가 6번 반복하고 25번째부터 새로운 마디가 시작합니다.

❺ 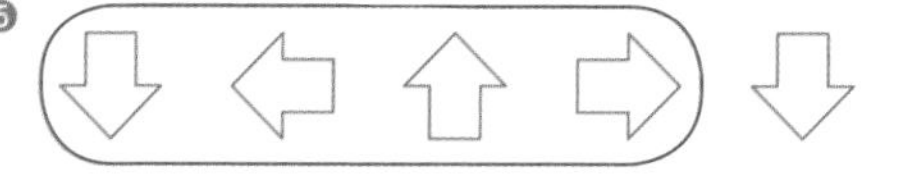

30번째

4×7=28이므로 28번째까지 마디가 7번 반복하고 29번째부터 새로운 마디가 시작합니다.

❻ 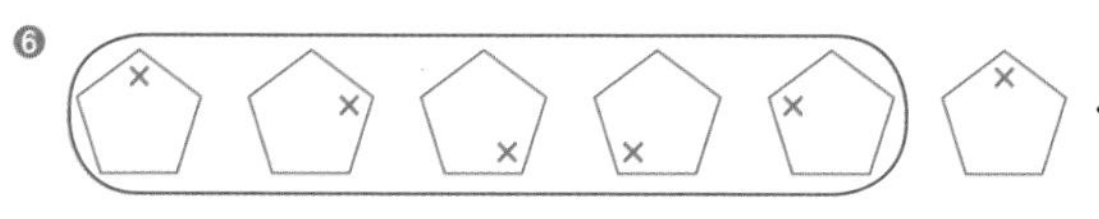

22번째

5×4=20이므로 20번째까지 마디가 4번 반복하고 21번째부터 새로운 마디가 시작합니다.

❼ 

28번째

5×5=25이므로 25번째까지 마디가 5번 반복하고 26번째부터 새로운 마디가 시작합니다.

❽ 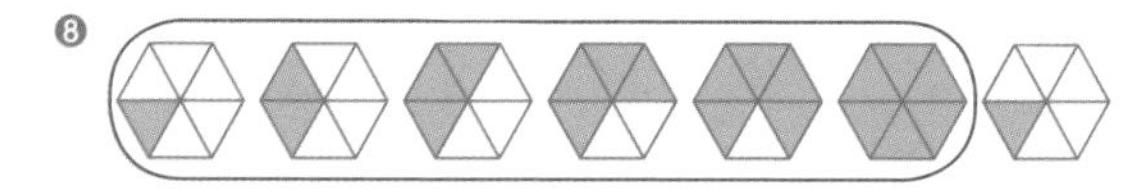

26번째

6×4=24이므로 24번째까지 마디가 4번 반복하고 25번째부터 새로운 마디가 시작합니다.

DAY 2

이중 패턴

✎ 규칙을 찾아 빈칸에 알맞은 모양을 그려 보세요.

15번째

모양은 두 가지가 반복되고, 모양의 위치는 세 군데가 반복됩니다.

모양과 위치를 따로 생각해 본 후 규칙에 맞게 그려 봐.

❶ ……

모양은 두 가지가 반복되고, 모양의 위치는 세 군데가 반복됩니다. 17번째

❷ ……

모양은 두 가지가 반복되고, 모양의 위치는 네 군데가 반복됩니다. 16번째

❸ ……

모양은 세 가지가 반복되고, 모양의 위치는 네 군데가 반복됩니다. 20번째

pensées

❹ 1 2 3 4 1 2 …… 2

숫자는 네 가지가 반복되고, 숫자의 위치는 세 군데가 반복됩니다. 22번째

❺ ……

모양의 색깔은 두 가지가 반복되고, 모양의 위치는 다섯 군데가 반복됩니다. 17번째

❻ ……

모양은 세 가지가 반복되고, 모양의 위치는 여섯 군데가 반복됩니다. 20번째

❼ ……

점의 개수는 다섯 가지가 반복되고, 점의 위치는 네 군데가 반복됩니다. 16번째

❽ ……

모양은 세 가지가 반복되고, 모양의 위치는 여덟 군데가 반복됩니다. 22번째

DAY 3 성냥개비 패턴 (1)

성냥개비로 모양을 만들었습니다. 규칙에 맞게 모양을 만들 때, 7번째 모양에 필요한 성냥개비의 개수를 구해 보세요.

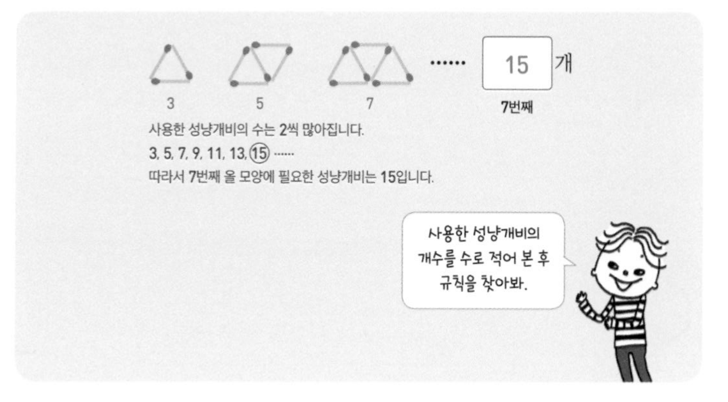

사용한 성냥개비의 수는 2씩 많아집니다.
3, 5, 7, 9, 11, 13, ⑮ ……
따라서 7번째 올 모양에 필요한 성냥개비는 15입니다.

❶ 4, 7, 10 …… 22 개 (7번째)

4, 7, 10, 13, 16, 19, 22, ……이므로 7번째 모양에 필요한 성냥개비는 22개입니다.

❷ 3, 6, 9 …… 21 개 (7번째)

3, 6, 9, 12, 15, 18, 21, ……이므로 7번째 모양에 필요한 성냥개비는 21개입니다.

❸ 4, 8, 12 …… 28 개 (7번째)

4, 8, 12, 16, 20, 24, 28, ……이므로 7번째 모양에 필요한 성냥개비는 28개입니다.

❹

…… 29 개 (7번째)

5, 9, 13, 17, 21, 25, 29, ……이므로 7번째 모양에 필요한 성냥개비는 29개입니다.

❺

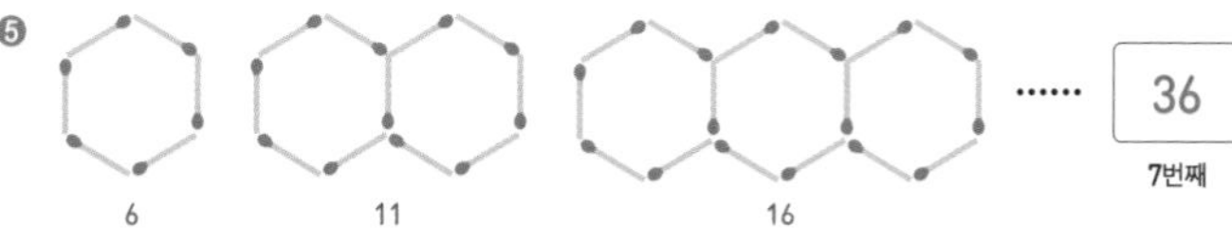

…… 36 개 (7번째)

6, 11, 16, 21, 26, 31, 36, ……이므로 7번째 모양에 필요한 성냥개비는 36개입니다.

❻ 3, 7, 12 …… 42 개 (7번째)

사용한 성냥개비가 4, 5, 6, 7, ……씩 많아집니다.
3, 7, 12, 18, 25, 33, 42, ……이므로 7번째 모양에 필요한 성냥개비는 42개입니다.

❼ 4, 10, 18 …… 70 개 (7번째)

사용한 성냥개비가 6, 8, 10, 12, ……씩 많아집니다.
4, 10, 18, 28, 40, 54, 70, ……이므로 7번째 모양에 필요한 성냥개비는 70개입니다.

성냥개비 패턴 (2)

성냥개비로 모양을 만들었습니다. 규칙에 맞게 모양을 만들 때, 빈칸에 필요한 성냥개비의 개수를 구해 보세요.

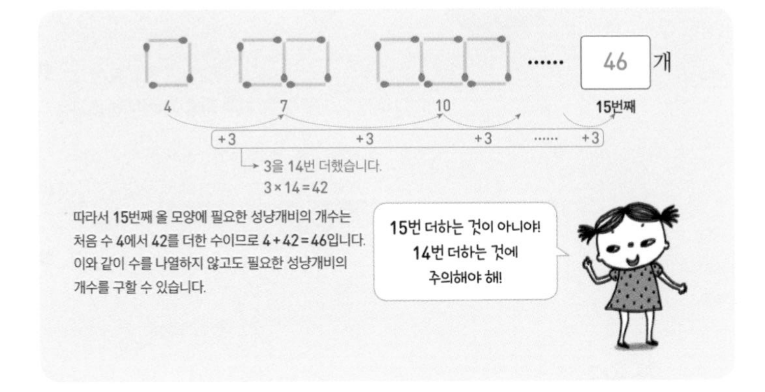

4 7 10 ······ 46 개
15번째
+3 +3 +3 ······ +3
3을 14번 더했습니다.
3 × 14 = 42
따라서 15번째 올 모양에 필요한 성냥개비의 개수는
처음 수 4에서 42를 더한 수이므로 4 + 42 = 46입니다.
이와 같이 수를 나열하지 않고도 필요한 성냥개비의
개수를 구할 수 있습니다.
15번 더하는 것이 아니야!
14번 더하는 것에
주의해야 해!

❶ 3 5 7 ······ 31 개 (15번째)

사용한 성냥개비의 수는 2씩 많아집니다. 2를 14번 더하면 $2 \times 14 = 28$이므로 15번째 모양에 필요한 성냥개비는 $3 + 28 = 31$(개)입니다.

❷

사용한 성냥개비의 수는 4씩 많아집니다. 4를 19번 더하면 $4 \times 19 = 76$이므로 20번째 모양에 필요한 성냥개비는 $4 + 76 = 80$(개)입니다.

❸

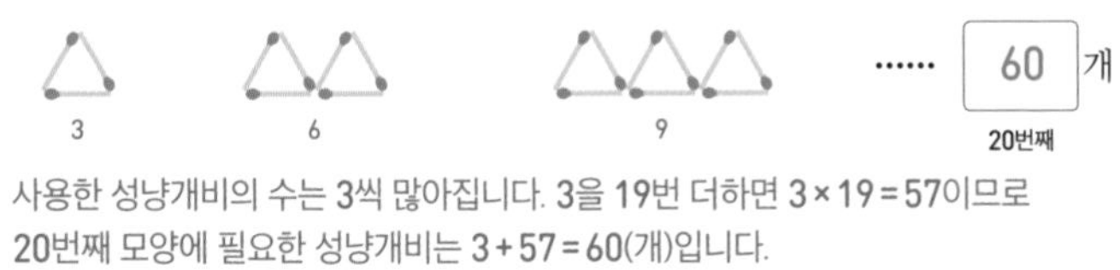

사용한 성냥개비의 수는 3씩 많아집니다. 3을 19번 더하면 $3 \times 19 = 57$이므로 20번째 모양에 필요한 성냥개비는 $3 + 57 = 60$(개)입니다.

❹ 4 7 10 ······ 67 개 (22번째)

사용한 성냥개비의 수는 3씩 많아집니다. 3을 21번 더하면 $3 \times 21 = 63$이므로 22번째 모양에 필요한 성냥개비는 $4 + 63 = 67$(개)입니다.

❺

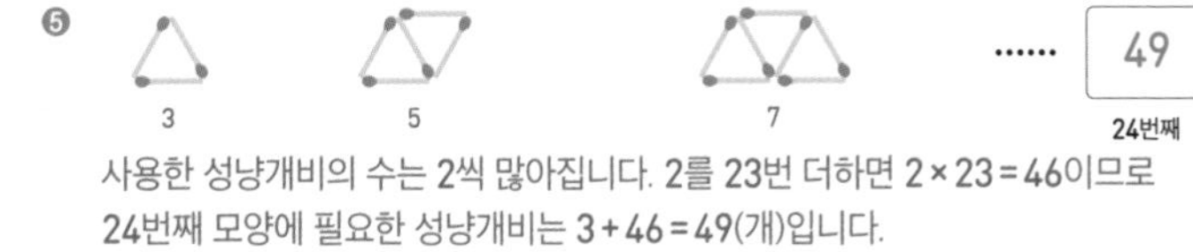

사용한 성냥개비의 수는 2씩 많아집니다. 2를 23번 더하면 $2 \times 23 = 46$이므로 24번째 모양에 필요한 성냥개비는 $3 + 46 = 49$(개)입니다.

❻

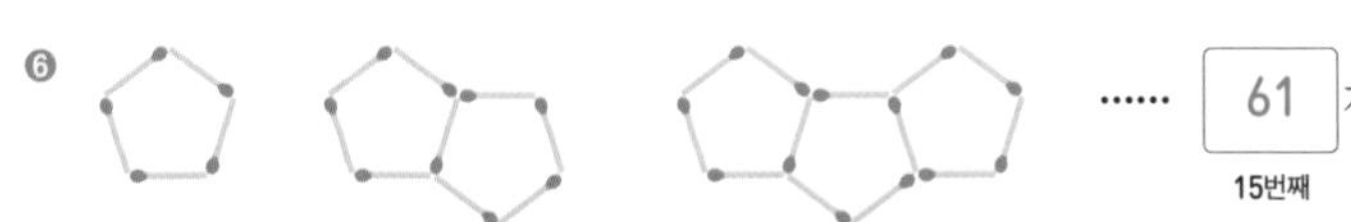

사용한 성냥개비의 수는 4씩 많아집니다. 4를 14번 더하면 $4 \times 14 = 56$이므로 15번째 모양에 필요한 성냥개비는 $5 + 56 = 61$(개)입니다.

❼

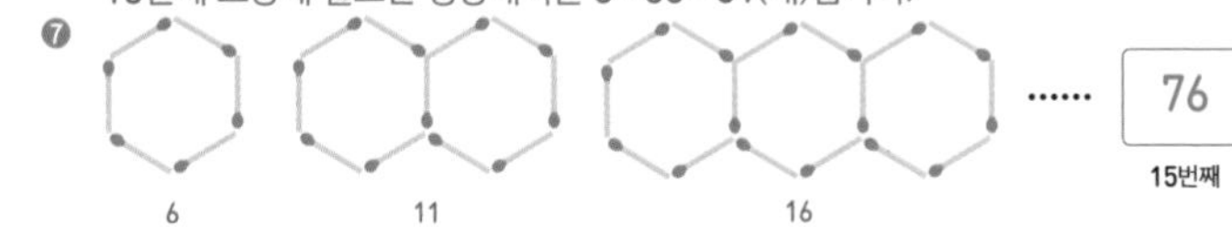

사용한 성냥개비의 수는 5씩 많아집니다. 5를 14번 더하면 $5 \times 14 = 70$이므로 15번째 모양에 필요한 성냥개비는 $6 + 70 = 76$(개)입니다.

DAY 5 모양의 규칙

✎ 규칙에 맞게 모양을 만들었습니다. 물음에 답하세요.

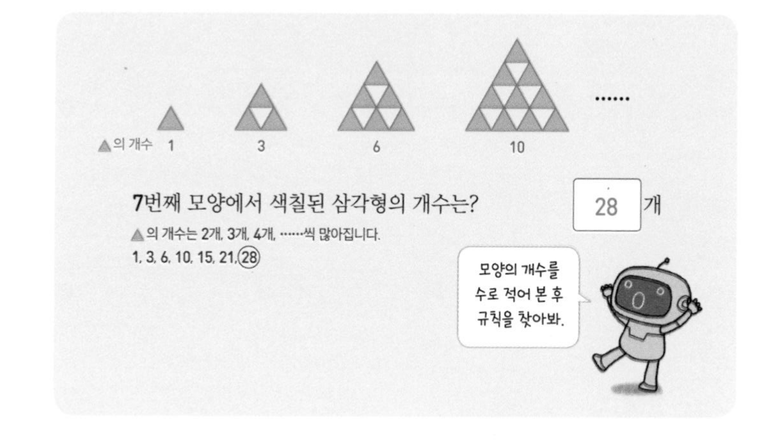

▲의 개수 1 3 6 10 ……
모양의 개수를 수로 적어 본 후 규칙을 찾아봐.

7번째 모양에서 색칠된 삼각형의 개수는? 28 개

▲의 개수는 2개, 3개, 4개, ……씩 많아집니다.
1, 3, 6, 10, 15, 21, ㉘

❶

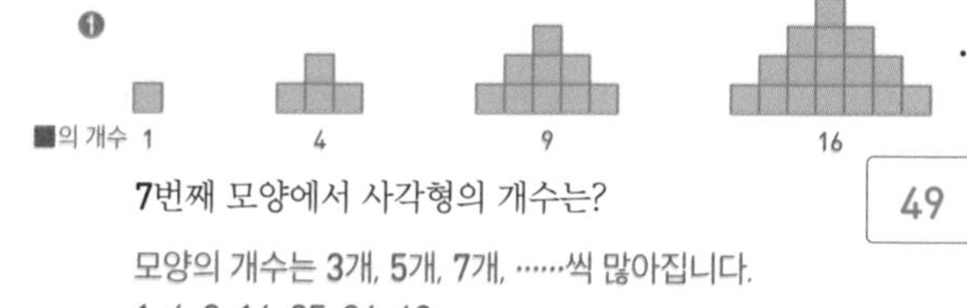

7번째 모양에서 사각형의 개수는? 49 개

모양의 개수는 3개, 5개, 7개, ……씩 많아집니다.
1, 4, 9, 16, 25, 36, 49

❷

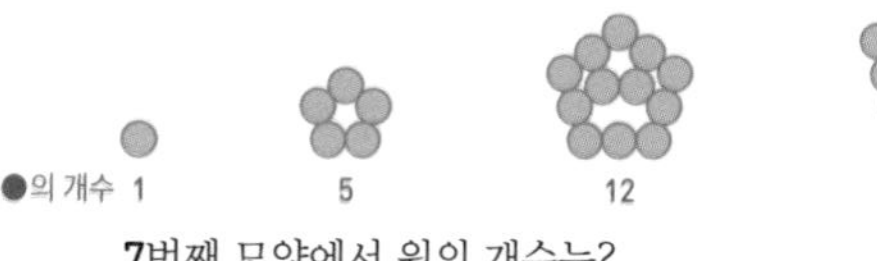

7번째 모양에서 원의 개수는? 70 개

모양의 개수는 4개, 7개, 10개, ……씩 많아집니다.
1, 5, 12, 22, 35, 51, 70

✎ 도형 안에 모양은 같지만 크기가 작은 도형을 계속 그렸습니다. 물음에 답하세요.

❸

가장 작은 원의 개수: 1, 2, 4, 8 ……

7번째 모양에서 가장 작은 원의 개수는? 64 개

가장 작은 원의 개수는 바로 앞의 모양의 가장 작은 원의 개수의 2배입니다.
1, 2, 4, 8, 16, 32, 64

❹

가장 작은 삼각형의 개수: 1, 3, 9 ……

5번째 모양에서 가장 작은 삼각형의 개수는? 81 개

가장 작은 삼각형의 개수는 바로 앞의 모양의 가장 작은 삼각형의 개수의 3배입니다.
1, 3, 9, 27, 81

❺

가장 작은 사각형의 개수: 1, 4, 16 ……

4번째 모양에서 가장 작은 사각형의 개수는? 64 개

가장 작은 사각형의 개수는 바로 앞의 모양의 가장 작은 사각형의 개수의 4배입니다.
1, 4, 16, 64

4주차 확인학습

✎ 성냥개비로 모양을 만들었습니다. 규칙에 맞게 모양을 만들 때, 빈칸에 필요한 성냥개비의 개수를 구해 보세요.

❶ 4　7　10 …… 76 개 (25번째)

사용한 성냥개비의 수는 3씩 많아집니다. 3을 24번 더하면 $3 \times 24 = 72$이므로 25번째 모양에 필요한 성냥개비는 $4 + 72 = 76$(개)입니다.

❷ 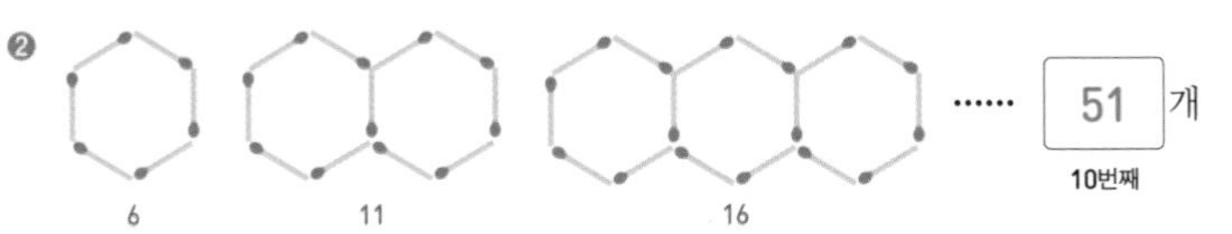

6　11　16 …… 51 개 (10번째)

사용한 성냥개비의 수는 5씩 많아집니다. 5를 9번 더하면 $5 \times 9 = 45$이므로 10번째 모양에 필요한 성냥개비는 $6 + 45 = 51$(개)입니다.

✎ 도형 안에 모양은 같지만 크기가 작은 도형을 계속 그렸습니다. 6번째 모양에서 가장 작은 사각형의 개수를 구하세요.

❸ …… 32 개

가장 작은 사각형의 개수　1　2　4

가장 작은 사각형의 개수는 바로 앞의 모양의 가장 작은 사각형의 개수의 2배입니다.
1, 2, 4, 8, 16, 32

마무리 평가

TEST 1 마무리 평가

제한 시간 15분
맞은 개수 / 11개

✤ 흰색 바둑돌과 검은색 바둑돌을 이용하여 만든 패턴입니다. 마디를 찾아 ○로 묶어 보고 패턴에 맞도록 빈칸에 바둑돌을 그려 보세요.

❶ 

❷ 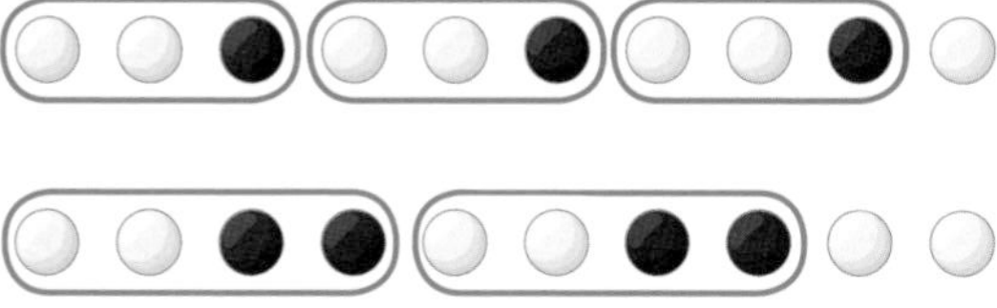

❸ 

❹ 

✤ 규칙을 찾아 마지막 모양을 알맞게 완성하세요.

❺  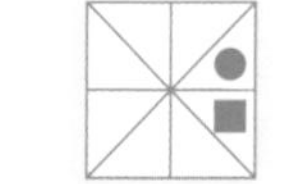 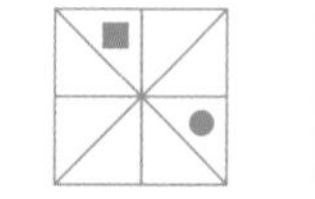

● 모양은 ↙ 방향으로 1칸씩 이동하고, ■ 모양은 ↘ 방향으로 3칸씩 이동합니다.

❻ 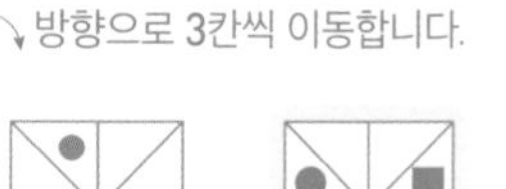 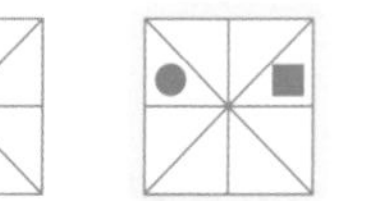

● 모양은 ↙ 방향으로 1칸씩 이동하고, ■ 모양은 ↙ 방향으로 3칸씩 이동합니다.

✤ 수열입니다. □ 안에 알맞은 수를 써넣으세요.

❼ 3, 6, 12, 24, 48, [96], …

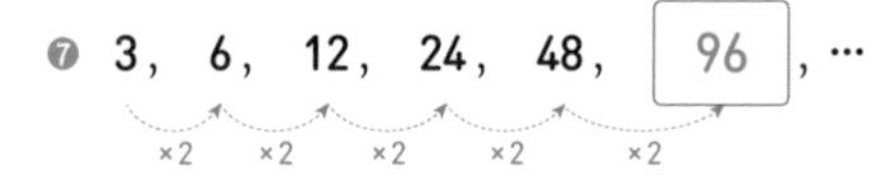

바로 앞의 수에 2를 곱합니다.

❽ 2, 6, 4, 12, 10, 30, 28, [84], [82], …

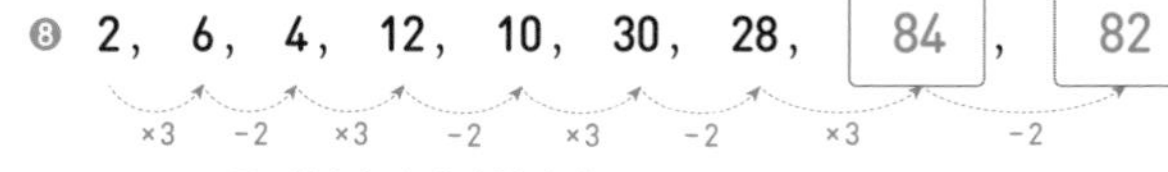

×3, −2를 반복하여 계산합니다.

❾ 1, 3, 4, 7, 11, 18, [29], [47], …

첫 번째 수는 1, 두 번째 수는 3이고, 세 번째 수부터는 바로 앞의 두 수의 합입니다.

✤ 규칙을 찾아 빈칸에 알맞은 모양을 그리거나 색칠해 보세요.

❿ 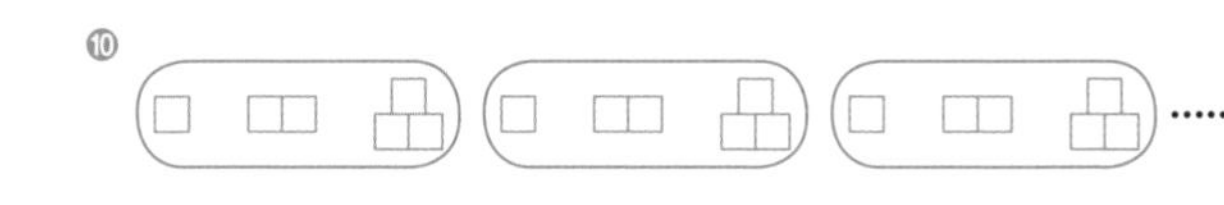

20번째

3 × 6 = 18이므로 18번째까지 마디가 6번 반복하고 19번째부터 새로운 마디가 시작합니다. 따라서 20번째 모양은 □□입니다.

⓫ 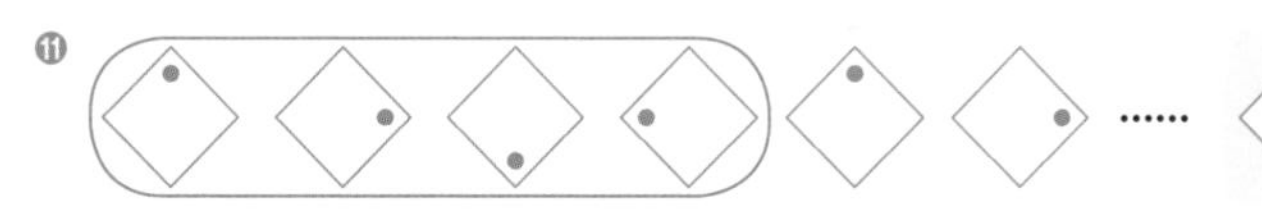

21번째

4 × 5 = 20이므로 20번째까지 마디가 5번 반복하고 21번째부터 새로운 마디가 시작합니다.

TEST 2

마무리 평가

제한 시간 15분
맞은 개수 / 11개

모양에 상관없이 색깔과 개수가 맞으면 정답입니다.

패턴에 맞도록 빈칸에 바둑돌을 그려 보세요.

❶ 검은색 바둑돌이 1개씩 늘어납니다.

❷ 흰색 바둑돌이 3개, 2개, 1개씩 반복됩니다.

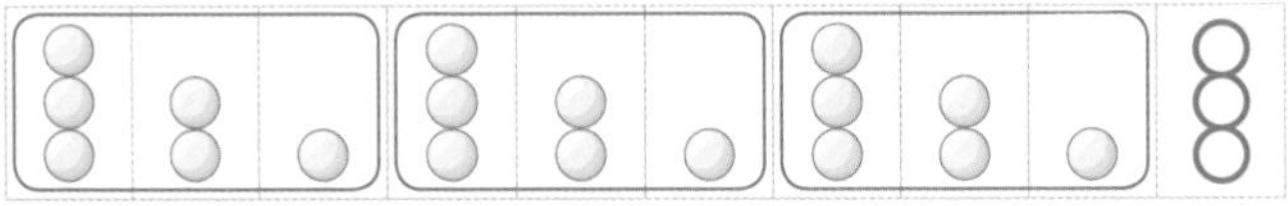

❸ 검은색 바둑돌이 3개, 2개, 2개, 1개씩 반복됩니다.

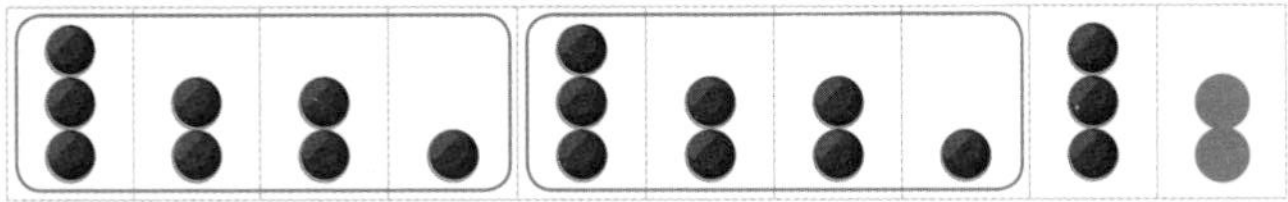

규칙을 찾아 빈 곳을 알맞게 색칠하세요.

❹ 색칠된 1칸이 한 칸씩 위로 올라갑니다. 이때 짝수 번째는 반전됩니다.

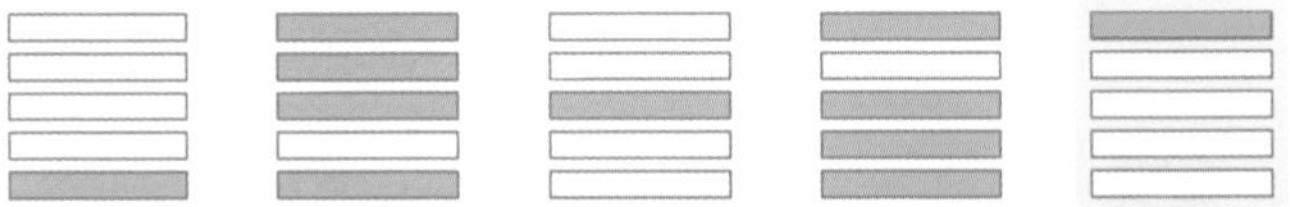

❺ 초록색 칸은 한 칸씩 아래로 내려가고, 내려갈 곳이 없으면 다시 맨 위로 올라갑니다. 노란색 칸은 두 번째, 첫 번째 칸이 반복됩니다.

수열입니다. □ 안에 알맞은 수를 써넣으세요.

❻ 3, 15, 27, [39], 51, 63, 75, …

+12 +12 +12 +12 +12 +12

바로 앞의 수에 12를 더합니다.

❼ 5, 10, 20, [40], 80, …

×2 ×2 ×2 ×2

바로 앞의 수에 2를 곱합니다.

❽ 3, 5, 10, 12, [24], 26, 52, 54, …

+2 ×2 +2 ×2 +2 ×2 +2

+2, ×2를 반복하여 계산합니다.

규칙을 찾아 빈칸에 알맞은 모양을 그려 보세요.

❾ …… 23번째

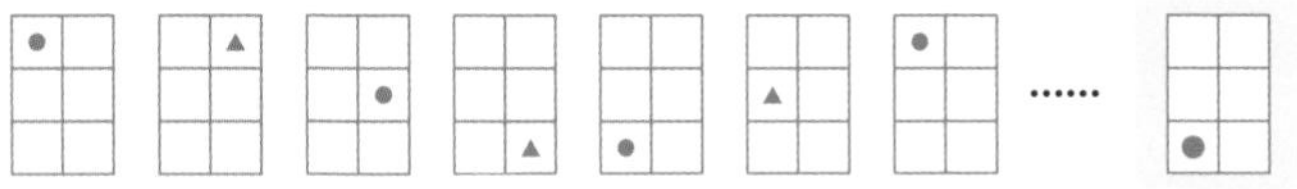

모양은 두 가지가 반복되고, 모양의 위치는 여섯 군데가 반복됩니다.

❿ …… 20번째

모양은 세 가지가 반복되고, 모양의 위치는 네 군데가 반복됩니다.

⓫ …… 26번째

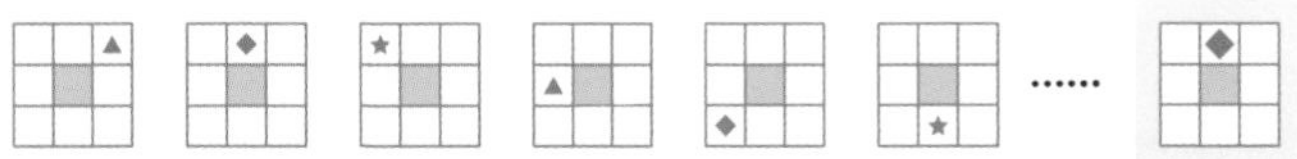

모양은 세 가지가 반복되고, 모양의 위치는 여덟 군데가 반복됩니다.

마무리 평가

TEST 3 마무리 평가

모양에 상관없이 색깔과 개수가 맞으면 정답입니다.

✤ 패턴에 맞도록 빈칸에 바둑돌을 그려 보세요.

❶

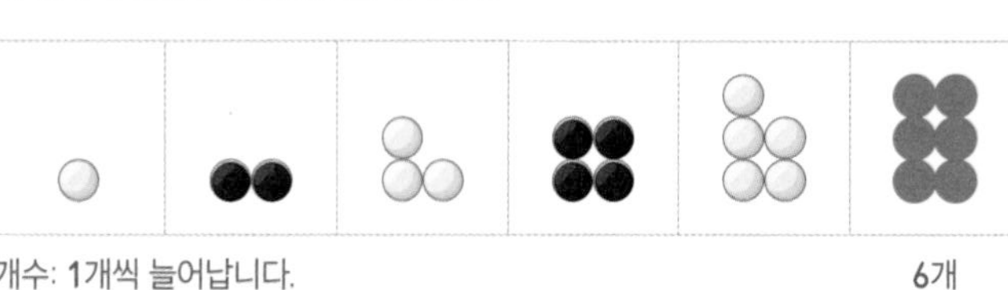

개수: 1개씩 늘어납니다. 6개
색깔: 흰색, 검은색이 반복됩니다.

❷

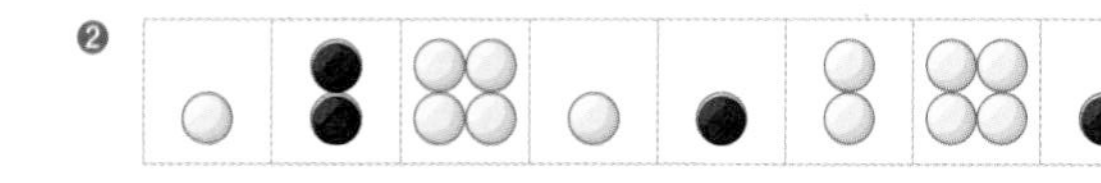

개수: 1개, 2개, 4개, 1개가 반복됩니다.
색깔: 흰색, 검은색, 흰색이 반복됩니다.

✤ 규칙을 찾아 빈 곳을 알맞게 색칠하세요.

❸

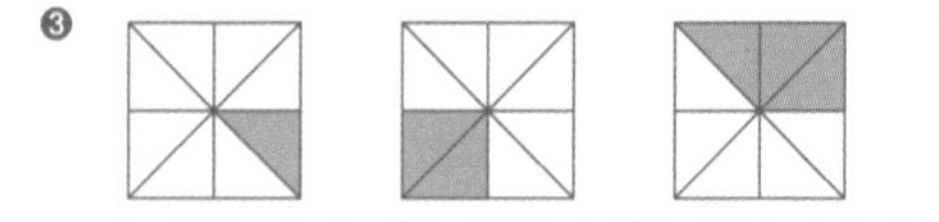

↘ 방향으로 두 칸씩 이동하면서 한 칸씩 늘어나도록 색칠합니다.

❹

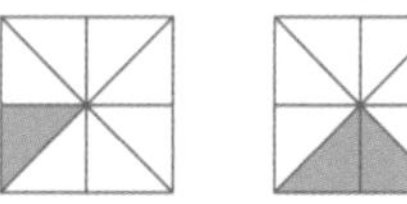
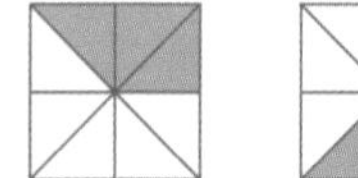
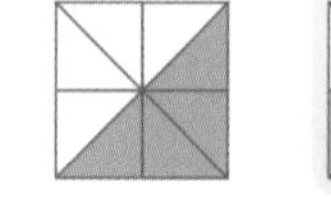

↙ 방향으로 1칸, 2칸, 3칸, ……씩 이동하면서 한 칸씩 늘어나도록 색칠합니다.

❺

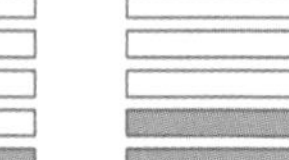
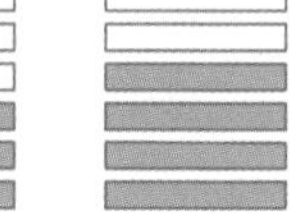
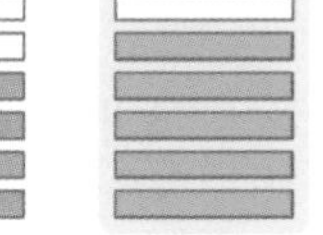

맨 아래부터 1칸씩 늘어나도록 색칠합니다.

✤ 수열입니다. □ 안에 알맞은 수를 써넣으세요.

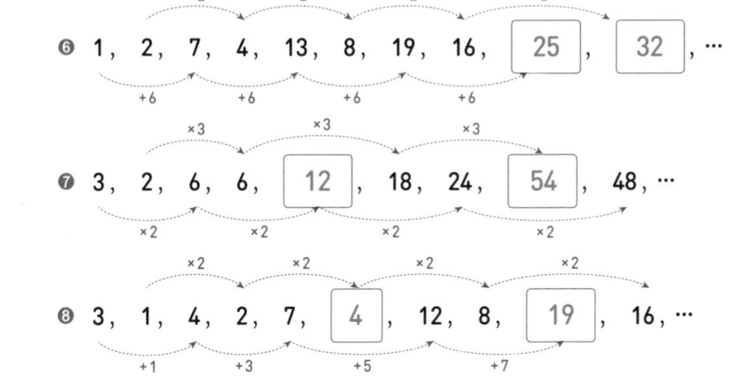

❻ 1, 2, 7, 4, 13, 8, 19, 16, [25], [32], …
(×2, ×2, ×2, ×2 / +6, +6, +6, +6)

❼ 3, 2, 6, 6, [12], 18, 24, [54], 48, …
(×3, ×3, ×3 / ×2, ×2, ×2, ×2)

❽ 3, 1, 4, 2, 7, [4], 12, 8, [19], 16, …
(×2, ×2, ×2, ×2 / +1, +3, +5, +7)

✤ 성냥개비로 모양을 만들었습니다. 규칙에 맞게 모양을 만들 때, 8번째 모양에 필요한 성냥개비의 개수를 구해 보세요.

❾

…… [41]개 (8번째)

6, 11, 16, 21, 26, 31, 36, 41, ……이므로 8번째 모양에 필요한 성냥개비는 41개입니다.

❿

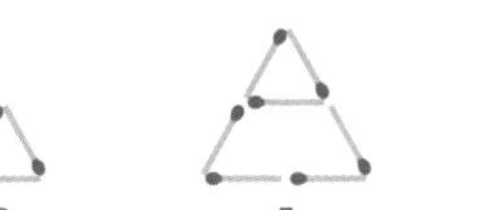
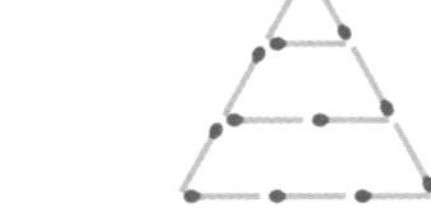
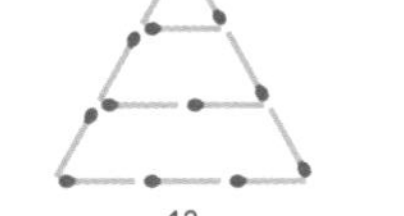

…… [52]개 (8번째)

사용한 성냥개비가 4, 5, 6, 7, 8, ……씩 많아집니다.
3, 7, 12, 18, 25, 33, 42, 52, ……이므로 8번째 모양에 필요한 성냥개비는 52개입니다.

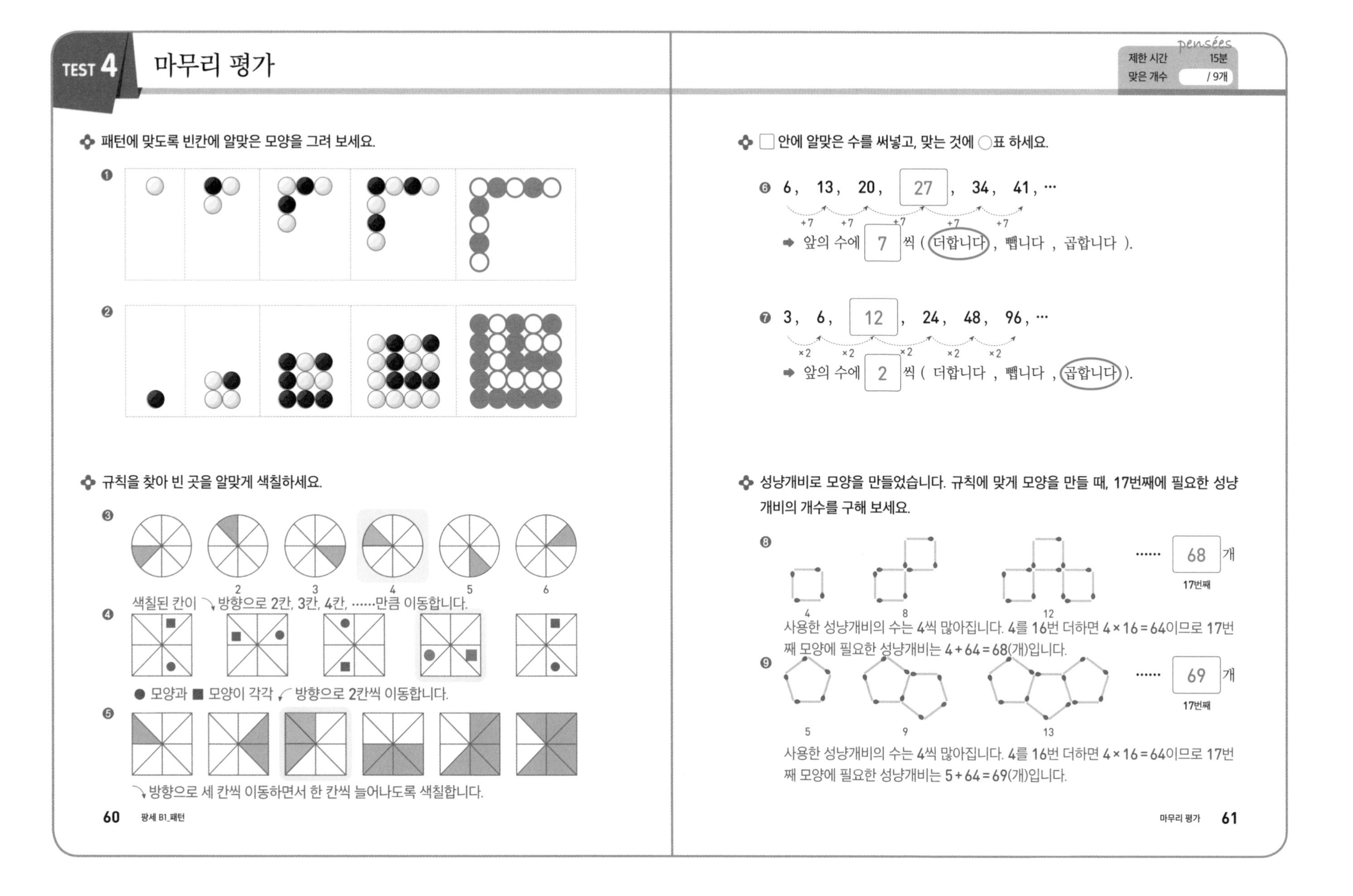
TEST 4 마무리 평가
제한 시간 15분
맞은 개수 / 9개
패턴에 맞도록 빈칸에 알맞은 모양을 그려 보세요.
❶
❷
규칙을 찾아 빈 곳을 알맞게 색칠하세요.
❸
2 3 4 5 6
색칠된 칸이 ↘ 방향으로 2칸, 3칸, 4칸, ……만큼 이동합니다.
❹
● 모양과 ■ 모양이 각각 ↙ 방향으로 2칸씩 이동합니다.
❺
↘ 방향으로 세 칸씩 이동하면서 한 칸씩 늘어나도록 색칠합니다.
□ 안에 알맞은 수를 써넣고, 맞는 것에 ○표 하세요.
❻ 6, 13, 20, 27, 34, 41, …
+7 +7 +7 +7 +7
➡ 앞의 수에 7 씩 (더합니다 , 뺍니다 , 곱합니다).
❼ 3, 6, 12, 24, 48, 96, …
×2 ×2 ×2 ×2 ×2
➡ 앞의 수에 2 씩 (더합니다 , 뺍니다 , 곱합니다).
성냥개비로 모양을 만들었습니다. 규칙에 맞게 모양을 만들 때, 17번째에 필요한 성냥개비의 개수를 구해 보세요.
❽
4 8 12
…… 68 개
17번째
사용한 성냥개비의 수는 4씩 많아집니다. 4를 16번 더하면 4×16=64이므로 17번째 모양에 필요한 성냥개비는 4+64=68(개)입니다.
❾
5 9 13
…… 69 개
17번째
사용한 성냥개비의 수는 4씩 많아집니다. 4를 16번 더하면 4×16=64이므로 17번째 모양에 필요한 성냥개비는 5+64=69(개)입니다.
60 팡세 B1_패턴
마무리 평가 61

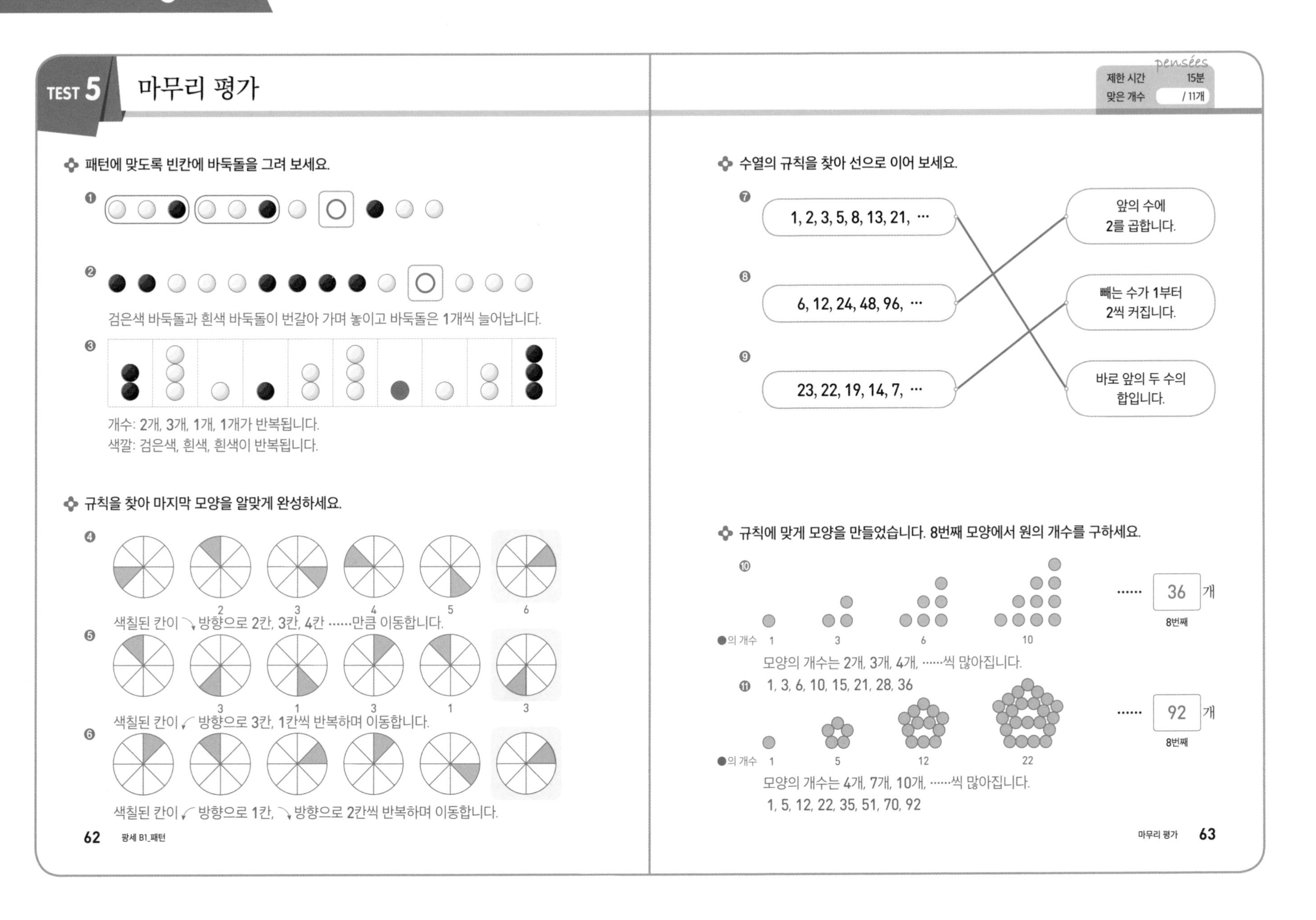

마무리 평가

TEST 5 마무리 평가

제한 시간 15분
맞은 개수 / 11개

✤ 패턴에 맞도록 빈칸에 바둑돌을 그려 보세요.

❶

❷

검은색 바둑돌과 흰색 바둑돌이 번갈아 가며 놓이고 바둑돌은 1개씩 늘어납니다.

❸

개수: 2개, 3개, 1개, 1개가 반복됩니다.
색깔: 검은색, 흰색, 흰색이 반복됩니다.

✤ 규칙을 찾아 마지막 모양을 알맞게 완성하세요.

❹

2 3 4 5 6

색칠된 칸이 ↘ 방향으로 2칸, 3칸, 4칸 ……만큼 이동합니다.

❺

3 1 3 1 3

색칠된 칸이 ↙ 방향으로 3칸, 1칸씩 반복하며 이동합니다.

❻

색칠된 칸이 ↙ 방향으로 1칸, ↘ 방향으로 2칸씩 반복하며 이동합니다.

✤ 수열의 규칙을 찾아 선으로 이어 보세요.

❼ 1, 2, 3, 5, 8, 13, 21, …

❽ 6, 12, 24, 48, 96, …

❾ 23, 22, 19, 14, 7, …

앞의 수에 2를 곱합니다.

빼는 수가 1부터 2씩 커집니다.

바로 앞의 두 수의 합입니다.

✤ 규칙에 맞게 모양을 만들었습니다. 8번째 모양에서 원의 개수를 구하세요.

❿

●의 개수 1 3 6 10 …… 36 개

8번째

모양의 개수는 2개, 3개, 4개, ……씩 많아집니다.
1, 3, 6, 10, 15, 21, 28, 36

⓫

●의 개수 1 5 12 22 …… 92 개

8번째

모양의 개수는 4개, 7개, 10개, ……씩 많아집니다.
1, 5, 12, 22, 35, 51, 70, 92

pensées

pensées

씨투엠 지식과상상 since 2013 연구소

교재 소개 및 난이도 안내

*일부 교재 출시 예정입니다.

Man is but a reed,
the most feeble thing in nature;
but he is a thinking reed,

"인간은 자연에서 가장 연약한 갈대에 불과하다.
하지만 인간은 생각하는 갈대이다."

Blaise Pascal, 블레즈 파스칼